Татьяна Толстая

Татьяна Толстая

Девушка в цвету

РЕДАКЦИЯ
ЕЛЕНЫ ШУБИНОЙ

Издательство АСТ
Москва

УДК 821.161.1-31
ББК 84(2Рос=Рус)6-44
    Т 52

Оформление переплета — Студия Артемия Лебедева

      Толстая, Татьяна Никитична.
Т 52   Девушка в цвету / Татьяна Толстая. — Москва :
      Издательство АСТ : Редакция Елены Шубиной,
      2015. — 348, [4] с.

      ISBN 978-5-17-086711-0

      В новую книгу Татьяны Толстой «Девушка в цвету»
вошли как новые, так и публиковавшиеся ранее автобио-
графические тексты — о молодости и о семье, о путешествиях во Францию и о жизни в Америке, а также эссе
о литературе, кино, искусстве.

                                    УДК 821.161.1-31
                                    ББК 84(2Рос=Рус)6-44

Девушка в цвету

Девушка в цвету

На втором курсе университета я осталась без стипендии. А мне были деньги нужны. Кофе, такси, сигареты. И я устроилась на почту разносить телеграммы.

Был июнь, вечером светло как днем, не страшно и очень красиво: пустой летний Ленинград, волшебные улицы Петроградской стороны; на стенах домов, над парадными — коты и ундины, треугольные девичьи лица оглушительной красоты: опущенные глаза, пышные волосы, дневные сны; глубокие подворотни, полные полумглы, лиловая сирень в садах и скверах, и вдалеке за Невой светла Адмиралтейская игла.

Отделение почты было на Кронверкском проспекте. Мне были рады: мало кто хочет работать летом в такую чудную погоду за такие ничтожные деньги. Начальница, воспаленная государственными тревогами и сложностями финансовой ответственности, рассказала мне, как строится нелегкая работа разносчика телеграмм.

Есть Маршрут номер 1, налево, и Маршрут номер 2, направо. Почтальон приходит в отделение, берет пришедшие телеграммы и идет либо туда, либо сюда, по очереди. Формально телеграмма заклеена, но почтальон обязательно заглядывает в нее, никакой тайны переписки, забудьте. Потому что почтальон — не тупой робот, а тонкий психолог.

При чем тут психология? А вот при чем. Лето. Люди тонут в водоемах. За месяц хоть одна телеграмма с сообщением о том, что «Николай утонул», непременно придет. И вот представьте: вы приносите эту телеграмму, вручаете ее приветливой женщине, может, отводящей тыльной стороной руки прядь волос со лба, может, вытирающей руки о фартук. Женщины же все время что-то стряпают. Вот вы стоите на пороге коммуналки, эта женщина вам улыбается, солнце светит на лестничную площадку сквозь пыльные, чудом сохранившиеся остатки питерских витражей, как сквозь воду. Чистенько.

И если вы, не зная о содержании телеграммы, тоже будете улыбаться, радоваться жизни и комментировать прекрасную погоду и прочие глупости, а потом она развернет бумагу — а там «Николай утонул…» — это же какой удар, это же какое коварство, это, может быть, инфаркт.

Нет, к горю надо подводить, по мере возможности, плавно. Горе легче принять, если принес его тебе злой человек. Поэтому надо сделать неприятное, злое лицо; откроют дверь — мрачно буркнуть: телеграмма! Не улыбаться, смотреть мимо, в пол. Сунуть квиточек: тут распишитесь. Расписались — сунуть телеграмму, и с лестницы горошком вниз. И ниже площадкой можно постоять у стены, зажмурившись, стиснув зубы и запрокинув голову, не в силах выбросить из головы чужое, милое, последний раз в жизни счастливое лицо той, ни о чем не подозревающей, там, наверху. На берегу.

Постояла. Постаралась забыть. И дальше по маршруту.

И, наоборот, если приходит, например, «встречная». То есть: «встречай 15-го поезд 256 вагон 8». Мирная, хорошая весть. А дверь открывает бабушка. Днем-то в основном бабушки дома. А бабушка эта — ведь у нас начало семидесятых — бабушка эта и войну помнит, и от эвакуации еще не отошла, и сколько ж похоронок она в руках держала! Поэтому, увидев телеграмму, бабушка обычно начинает пятиться со страхом в глазах, выставляет ладоши, чтобы оттолкнуть надвигающееся известие, бормочет: нет, нет, нет… Так что на случай, если откроет дверь бабушка, надо заранее, еще за дверью, сделать беспечно-счастливое лицо и сразу, с порога, помахивая телеграммой, запеть: все хорошо, вам телеграммочка хорошая, едут, едут, пеките пироги! — и прочую ерунду.

За одну доставленную телеграмму платят семь копеек. За недоставленную — три. То есть если никого нет дома, ты пишешь на маленьком бланке маленькое извещение: «вам пришла телеграмма, она на почте, можете позвонить». И бросаешь бланк в почтовый ящик. Но это не значит, что такую телеграмму повторно разносить не надо. Нет, ты тупо идешь с ней и через час, и через два… А люди-то на работе, людей-то дома нет… Коррупционный механизм, надеюсь, понятен.

Поэтому утренняя смена — она посытнее кормит. Три раза не доставишь, потом один раз доставишь — вот тебе и шестнадцать копеек с телеграммы. Многие тем и жили. Официальная же зарплата разносчика телеграмм, не соврать, была тридцать два рубля в месяц. А если ты не в штате, свободный художник, то примерно столько же, по рублю в день, баш на баш и выходит. Но зато есть возможность ограбить бюджет на шестнадцать копеек, и я в грабителей этих не брошу камня. Не всякий вор должен сидеть в тюрьме, так я вам скажу.

Есть и такой источник обогащения, как чужое горе. Поминки. Один раз мне повезло: я приношу телеграмму соболезнования: «всем сердцем с вами, скорблю о вашей потере», — дверь открывает безутешная вдова, за ней в проеме — интеллигентная, небедная квартира. Синие обои, мебель ампир. Портреты в овалах. Сделав приличествующее, чуть опечаленное лицо, вручаю телеграмму. Вдова расписывается на квитанции и вручает мне двадцать копеек на чай.

Обана! Первый раз в жизни получила на чай. Интересное ощущение. Вышла, села на лавочку в скверике покурить и обдумать. Это же какие деньжищи. Прикинула: унижают ли чаевые человека? — Неа, не унижают, только радуют; извините, вдова и покойник. Вам время тлеть, а мне цвести. Мне восемнадцать лет, и я намерена цвести. Красно-лиловым персидским цветом.

Докурила, вернулась на почту — еще одно скорбное послание. Бодренько отнесла вдове. Вдова приняла послание и по лицу ее прошла тень. Не от могильной сени, но от предстоящего ей ущерба: на этот раз она наградила меня пятнадцатью копейками. Окей, тенденция понятна. «Повадились тут ходить, деньги мои выпрашивать!» — читалось на ее заплаканном лице, хотя я не произносила ни слова, молча протягивала квитанцию и шариковую авторучку на мочальной веревочке и молча же уходила в пахучую тьму подъезда; первый этаж был, со двора. Батареи отопления какие-то с торчащей паклей, ледяные летом. Коричневые, земляного цвета стены. Лампочка вывинчена. Третья телеграмма принесла мне гривенник, а все последующие вдова хватала с нескрываемой ненавистью в глазах и чаевых больше не давала. Просто вырывала телеграммы из моих рук и с глухим стуком захлопывала войлочную, утепленную дверь.

Питерские дворы устроены интересно и запутанно. Нумерация квартир непредсказуемая. 14, 15, 15а, 3, 78, 90, 16, 24, 18, а на самом верхнем этаже — 1. 7-й и 8-й квартир в этом доме нет. А квартира номер 6 есть, но вход в нее из другого дома. Или из подворотни. А на некоторых дверях номеров и вовсе нет, и света на площадке нет, и вот ты стоишь на лестнице черного хода и водишь руками по войлоку, ощупывая дверь и слыша слабую вонь помойного ведра, невидимого во тьме, и различая глухие голоса за дверью, а чаще — глухое молчание, как под водой. Пока найдешь нужную квартиру — потеряешь кучу драгоценного времени. Уже в конце моего почтальонского срока я подружилась с почтальоном-инвалидом, у которого в книжечке была начертана четкая и ясная схема всех парадных и черных ходов Маршрута номер 1 и Маршрута номер 2, — любо-дорого посмотреть! Он работал в штате, за тридцать два рубля, и уважал свою работу: никуда не спешил, ходил не быстро, знал, где опасные квартиры, а где приветливые, где живет маньяк, хватающий тебя за руку, чтобы втащить в свое жаркое, удушающе пахнущее сладким одеколоном жилище, а где живут девушки-близнецы, кто лежит прикованный к кровати, а у кого неделями никого нет дома. Странный был человек, немножко ку-ку, инвалид по голове. Ничего, кроме разноса телеграмм, его вообще не интересовало.

Он был как бы такой солдат Почтового Государства, государственный человек, без юмора. Почтовое дело представлялось ему, кажется, сияющим Проектом, одной из систем, благодаря которой Государственный Организм функционирует: лимфатической системой, или там нервной. Он гордился, что он часть этого Проекта. А нас, временных и легкомысленных, он как минимум не уважал. Должно быть, он виделся себе старинным, еще 1808-го какого-нибудь года, чиновником в свежеизобретенном мундире Почтового ведомства: темно-зеленый кафтан с черным воротником и черными же обшлагами, на пуговицах — перекрещенные якорь и топор. Мне, во всяком случае, он виделся именно таковым, и, завидев его издалека в слабом летнем потоке людей, прямого, сухого, возвращающегося с маршрута, я думала: вот идет, сквозь беспечную и смеющуюся толпу, само Государство, идет размеренно и строго и пахнет сургучом, мочальными веревочками, чернильными карандашами и резиновыми штампами.

Он показал мне свои схемы, не выпуская их из рук, не делясь со мной: если надо, пройди по парадным сама и срисуй. Он как бы давал понять, что причастен Государственным Секретам, планам железных дорог, синькам подземных заводов, чертежам стратегических зернохранилищ, но врагу и конкуренту не отдаст. Если пуля, если смерть — быстро схватит и проглотит книжечку, разжует! И чернила с разлинованных страниц будут стекать в его уже мертвую гортань.

В этом районе было много старых красивых домов, еще не полностью умерших, несмотря ни на что: несмотря на блокаду, на советскую нищету, на тени без вины арестованных и уведенных отсюда на подгибающихся ногах по этим чуть сбитым ступеням. В одной парадной, в фойе, был камин — так и простоял, холодный и запустелый, с дореволюционных времен. А наверно, когда-то его топили, и по лестнице вверх поднималась ковровая дорожка, ну, хотя бы до бельэтажа или там третьего этажа. И было тепло, и был консьерж с усами. И пахло кофе и ванилью. И лифт был коробкой света в сквозном, ажурном колодце. А теперь камин — могильная яма — был покрашен масляной зеленой краской, как и вся парадная. Прямо по мрамору, масляной зеленой краской.

А квартиры в основном были, конечно, коммунальными. Поэтому на дверях было по нескольку звонков, причем встречались и старые-престарые, — плоская щеколда размером с половинку бабочки, с надписью кругом по латунному кружку: ПРОШУ ПОВЕРНУТЬ. Это был звонок механический, не электрический. Я знаю, как он работал, у наших знакомых такой был в квартире. От бабочки идет проволока, потом там под потолком латунная планка, и к ней подвязан колокольчик. Повернешь бабочку — колокольчик зазвонит. (Когда население обнаружило, что латунь содержит медь — ценный металл, все эти милые «ПРОШУ…» были вырваны по-мандельштамовски, с мясом, и сданы в металлолом; отвинчивали и медные ручки с дверей, но их не сдавали, они просто наполнили собой комиссионные магазины. Такие красивые делали ручки в 1914 году! Лилии, водоросли, а не ручки.)

А на одной двери был звонок удивительный. Стеклянная коробочка, имя хозяина, и когда ты звонишь, загорается лампочка в коробочке и высвечивается надпись: «Слышу. Иду». И они слышат! И идут! Какие чудесные люди! А если никого нет дома, то надпись «Извините, дома никого нет». Я спросила открывшую мне девушку, как переключаются надписи? Оказалось, это работает от ключа в комнате. Уходя, поворачивают ключ — и вот «нет дома». Как это прекрасно!

Отнесешь телеграмму в дальний конец Маршрута, километр туда, километр назад, вернешься — а уже новая лежит, тебя ждет. Снова иди туда же. Мне было восемнадцать лет, мне хотелось привнести разумность и порядок в устройство почтовой службы, если не всего мироздания, хотелось быть полезной. Я говорила начальнице отделения: «Но почему же я должна так спешить отнести "встречную" телеграмму? Человек приезжает только через неделю! Да и люди все днем на работе. Давайте я накоплю штук десять и часа через два-три пройду по Маршруту. И мне веселее, и почта деньги сэкономит».

Но она пугливо отвечала: нет, нет, нельзя; такова инструкция, относить сразу. Она вообще была женщиной испуганной, встревоженной, согнувшейся под каким-то невидимым грузом. Как-то утром, прекрасным и сияющим, как и весь тот июнь, — росистым, с белой сиренью, с птичьим щебетом, — я видела, как она торопливо прошла на работу, ссутуленная, очками вперед, ничего не видя, кроме своей государственной заботы; руки плетьми висели перед туловищем. Она плохо спала; утро ее не радовало; росу долой, птиц к черту, сирень в топку. Есть ведь инструкция, а люди норовят ее нарушить. Как проследить? Как навести порядок? Каждого не проверишь! Не пойдешь за ним одновременно по Маршруту номер 1 и Маршруту номер 2! А тут еще и секретное учреждение! Сигма! Приходит зашифрованное сообщение по государственным телеграфным проводам в засекреченную государственную Сигму! И эту наисекретнейшую телеграмму с болью отдаешь в руки легкомысленной вертихвостке! А если враги как-нибудь чего-нибудь там? Можно было бы подождать полчаса, дождаться инвалида с Маршрута номер 2 и поручить Гостайну ему. Он солдат! Он в мундире! Но ждать нельзя! Инструкция! Вот где засада.

И она вручала мне тщательно заклеенную телеграмму для Сигмы. Я должна была промаршировать прямо на проходную этого загадочного секретного учреждения и молча передать Гостайну в руки вахтера в чине не меньше полковника. Так же молча получить расписку. И — строевым шагом — назад. Она сжимала мне руки своими холодными руками, с тревогой и недоверием вглядываясь мне глубоко в глаза: доставишь? не подведешь? могу ли довериться? Она глядела мне вслед, стуча зубами от волнения, но ни разу не было, чтобы я ушла подземными тропами к врагам, унося шифры и коды.

Бедная, она всегда была на посту! Между тем, местное население, как это всегда бывает, прекрасно знало, что таится за стенами без вывески: институт прикладной химии, занимавшийся отравляющими веществами и взрывчаткой и испоганивший на десятилетия воду и землю в красивейшем месте города. Для тех, кто не знает нашей топографии: вот так Пушкинский Дом, а вот так — через реку — баки с зарином и заманом, не знаю, с ипритом каким. Рачительно так, по-советски. Я в первый же раз запуталась, куда идти: ну а как, если вывески и адреса нет? «А вы не знаете, где тут Сигма какая-то?..» — «А, ГИПХ! Вон там перейдете и вон туда! Вдоль забора, а там проходная!» Естественно, я отгибала уголок, запускала глаз под охранную ленточку и читала секретные телеграммы, отправляемые Центром Сигме по открытой связи. Всякий бы прочитал. Ничего там интересного не было.

Зато по другую сторону Кронверкского проспекта простирался мирный Зоологический Сад, тоже утопавший в белой и лиловой сирени, и туда я тоже иногда ходила: на Алтае поймали медвежонка и спрашивали, не надо ли саду медведя? Потом почему-то пришла телеграмма, сообщавшая, что украли шестьдесят одеял. Каких одеял? Кто мог их украсть? Где? При чем тут Зоосад? Все это были клочки, обрывки чужих историй, рассыпанная мозаика, форточки в чужую жизнь, — облачко музыки из окна, смех из распахнувшейся двери, таинственный угол комнаты, видный через щель в занавесках. Где-то там жила самая загадочная из моих адресатов — некая Конкордия Дрожжеедкина. Сколько ей было лет? Как можно было так назвать девочку? Счастлива ли она? Видит ли из своего окна белую ночь, подворотни, наполненные прозрачной мглой, и кусты цвета сумерек? Кого она любит? Кто любит ее? А я, кого я люблю?

Я бесплатно пробиралась в Зоосад — почтальону можно — и забредала в дальние углы, к воде, к Неве, там, где птицы, там где никому не интересно: люди ведь ходят смотреть на слона, на белых медведей, на жирафа, на площадку молодняка, где можно погладить маленьких, еще безобидных тигрят, а на птиц смотреть не ходят. И я задумала вырвать у павлина перо и носить его в волосах или как-то еще, я точно не придумала. Просто вот захотелось павлинье перо, и все тут. Я решила прикормить павлина булочкой, а когда он подойдет близко к прутьям клетки, схватить его за хвост — может быть, перо и выпадет. Вон же там, на земле, рукой не дотянешься, валяются сброшенные птицами перья. Но вольер был забран густой сеткой, и павлин смотрел на меня враждебно, и булочка моя его не соблазнила, и над всей аллеей внезапно раздался громкий, издевательский хохот: меня явно разоблачили сторожа.

Я отдернулась от места совершаемого преступления, торопливо вставая с четверенек, делая вид, что ничего не происходит, отряхивая коленки и придавая лицу отстраненное выражение: я? я ничего, я просто склонилась надпись прочитать, плохо вижу. Но рядом никого не было, и на аллеях никого не было видно, а насмешливый женский хохот, звонкий, издевательский, висел в теплом воздухе зонтиком, куполом, полусферой летнего неба. А-ха-ха-ха-ха! — надо мной, и над моими планами обобрать павлина, и над моими скопидомскими расчетами — копеечка к копееч-ке, всё в кубышку; и над моими планами цвести, и над моими планами жить, — сам по себе висел этот смех, как будто мироздание внезапно обра-тило на меня внимание: ага, это ты подсматри-ваешь за чужими жизнями, мелкая мошка? — да ты сама как на ладони! А-ха-ха-ха-ха!..

Это был какой-то момент истины, непонятно какой, но истины: когда над вами смеются, а кто, не видать, — открываются какие-то внутренние горизонты, раздвигаются стены, загорается свет, расстилается простор. Я стояла, вросши ногами в плотную песчаную дорожку, объятая смутным экзистенциальным стыдом. Вот так будет на Страшном Суде. А-ха-ха-ха-ха!.. — женщина, она же Бог, начала свои разоблачения по третьему кругу, и я ее увидела: светлая, с серыми крылья-ми, с тонкими длинными ногами, она разинула клюв и, запрокинув голову, хохотала в своем во-льере: чайка-хохотунья, она же степная чайка, *Larus cachinnans*. Пошла к черту, дура. Напугала только.

...«Пришлите судно и клизму». Я отнесла те-леграмму — никого — бланк в ящик — вернуть-ся на почту. «Не надо судна и клизмы». Так на-до или уже не надо? Что у них там случилось? Я спросила у начальницы, — она никогда не спа-ла, сидела и смотрела воспаленными красными глазами на неуправляемый мир, — так мне от-носить эти вот телеграммы или нет? Одна ведь отменяет другую. И дома у них никого. Может, они катаются по Неве на кораблике? Может, ну их? «Неси! Инструкция говорит: неси! Мало ли что. С нас спросят!»

Я отнесла раз, и два; и третий раз я отнесла загадочным держателям кружки Эсмарха взаимоисключающие просьбы. Я ходила взад-вперед до позднего вечера, но квартира молчала, никто мне не открыл, никто не перезвонил на почту, и назавтра никого не было, и послезавтра тоже. А потом мне все это надоело. И я уволилась.

Инвалид посмотрел мне вслед с осуждением: так он и знал, из меня не вышло солдата Почтовой Службы. Начальница уже с тревогой думала о следующем работнике — он только что вышел из тюрьмы, был белый как утопленник, и его водила за руку молодая красивая жена с огромным, дутым золотым браслетом. «Как ты думаешь, ему доверять можно?» — спросила она меня, но не стала ждать ответа, ведь она разговаривала сама с собой.

Я уволилась, заработав целые тридцать пять рублей, прямо как стипендия отличника; наелась черносмородинного мороженого с сиропом и уехала на дачу: июль обещал быть таким же чудным, каким был июнь. Чудным он и был. Только мне долго потом казалось, что мир как-то неуловимо изменился. Как будто шумы какие-то умолкли. Или я оглохла, что ли.

Варвары

Если бы моя жизнь сложилась иначе, я сшила бы себе желтые шелковые шаровары, носила бы турецкие гаремные тапки с загнутыми носами и двадцать пять серебряных цепочек, а лучше монисто — туркменское какое-нибудь такое, или грузинское. Браслеты, конечно, до локтя. Шали розовые, жаркие, с голубыми огурцами, с фиолетовыми розами. Тюрбаны. Курила бы кальян. Глаза подводила бы сурьмой, волосы — когда не тюрбан — носила бы вольными, распущенными, а по праздникам надевала бы тюбетеечку или жемчужную сетку.

Я варвар, мне можно.

Собственно, никто и никогда мне не препятствовал именно так почему-либо одеваться, просто денег не было, да и куда бы я поперлась в таком дурацком виде? У нас не Серебряный век, и тут не Монпарнас. А главное — темперамент мне не позволял шляться в таких театрально-балаганных, Бакстовских костюмах, потому что они предполагают компанию богемную, расслабленную, пьющую, вольных нравов, я же была кабинетным очкариком и книжным червем, и даже на танцы ходить не любила: скучно.

Нас у мамы было семеро, причем девочек — пять, и ни одна шить не умела, так что с красивой одеждой были проблемы. В магазинах висели какие-то халаты. Были какие-то неумелые портнихи. Однажды в допотопные времена мне что-то сшили в ателье — уж не помню что. Помню, что у приемщицы были необыкновенно длинные красные ногти невиданной красы, они летали над белыми разлинованными квитанциями, как лепестки. Я была заворожена ими, сказала маме. Мама — сухо, как всегда — заметила мне, что это ногти бездельницы.

Сама мама трудилась за семерых: готовила, подметала, стирала, вязала, делала всю черную ручную работу, таскала тяжести, копалась на даче в огороде, а кроме того, обучала младших детей иностранным языкам. У нее вообще никаких ногтей не было, а ей, наверно, хотелось. Но если она сказала, что длинные красные ногти это неправильно, то значит неправильно.

Папа ездил за границу и старался нам всем привезти подарки. Это было непросто. Однажды он купил пять пар обуви — для всех дочерей, — и его задержали на таможне за намерение спекулировать. Все оправдания, что детей семеро, а сам он профессор Университета, не действовали. Отбился с трудом.

Папа не умел покупать платья или что-то такое, поэтому он привозил отрезы тканей: сошьете как-нибудь. Они были такие неземные! В пятидесятые годы он привез для мамы две удивительные нейлоновые ткани — тогда нейлон был модной новинкой. Одна была — полупрозрачная сиреневая ткань, искусственный «газ», и по сиреневому полю были разбросаны белые рельефные букетики ландышей. Вторая была желтой, тоже полупрозрачной, и цветы были — мимоза. Из сиреневой мама сшила платье на чехле, но носила его редко: это было так красиво, так необыкновенно, что носить его было вроде как и некуда. А желтая была уж слишком.

Еще он привез ей черную нейлоновую шубу, легкую и чудно пахнувшую. Она висела в прихожей на вешалке, и я, проходя мимо, зарывалась лицом в ее прохладу. Подкладка была свистящая, блестящая и от нее слабо веяло ванилью.

Некоторые ткани мы никак не могли поделить между собой, поэтому оставляли до лучших времен, и право выбирать получала та из нас, которая выходила замуж. Вот тогда и выяснялось, что папа купил слишком короткий кусок, маломерку, и на полноценное платье его не хватает. А одна материя, которую он купил для мамы, оказалось годной только на концертное платье:

это был темно-синий английский бархат, как-то хитро мерцавший серебряной пылью, причем непонятно было, как это ему удавалось. Папа, видимо, представлял маму в этом королевском платье на каком-то невероятном балу, — так он ее видел, — но мама была всегда в какой-то старой кофточке, в фартуке и с кухонным полотенцем через плечо: подхватить что-нибудь горячее, и это синее мерцание ее сконфузило. Бархат убрали в сундук, и он там пролежал сорок лет.

Мама ходила черт знает в чем: в удобном и старом, но если ждали гостей или она сама собиралась в гости, то она шла в свою спальню и возвращалась оттуда совершенно ослепительной. Непонятно было, как она это делала: как будто ее там переколдовывали. Каблуки, французские духи, помада и сверкающий голубой взгляд. И это все? Ведь этого же не может быть достаточно? Мама никогда не пользовалась вообще никакой косметикой, у нее не было ни пудры, ни туши, ни кремов, кроме крема для растрескавшихся рук. У нее были только духи, папа привозил. Самые дорогие, самые таинственные.

Иногда она позволяла рассматривать вещи в ящиках своего комода, — мы, конечно, начинали канючить и выпрашивать, но она держалась стойко и ничего не раздаривала: как-нибудь потом. Там были какие-то чудесные шарфы, ожерелье в форме серебряной стружки, сумочка шанель (это когда у всех прочих — хозяйственные кошёлки и хлопчатобумажные чулки в резинку!). Они там просто лежали, она ими не пользовалась. Какие-то красивые часики — она их не надевала; туфли — она их не носила. Перчатки. Серег не было. Колец не было. Браслетов — никогда.

Мне так хотелось всего этого — браслетов, колец, серег, бус, — и чтобы много, с избытком, через край. Мне так хотелось закутаться во все шали и намотать себе на голову тюрбаны из всех шарфов, а из тех, что останутся, сшить себе восточные шаровары или, на худой конец, цыганские юбки. Я алчно рассматривала книжные, альбомные картинки с этой избыточностью, невозможной в реальной, нормальной, ежедневной жизни.

Но я росла под насмешливым голубым взглядом мамы, которая умела как-то без слов, одним поворотом головы дать понять, что это все для бездельников, а надо работать. Учиться, например. И учиться понимать, что красоту можно и нужно включать и выключать, и что секрет шарма — не в сапогах и не в кофточках. Тем более когда у тебя нет ни приличных сапог, ни красивых кофточек.

В самом начале семидесятых в Питер внезапно завезли кучу какой-то иностранной обуви. (Советская была чудовищной, я не хочу о ней говорить. Баретки со шнурками. Купить и повеситься. На шнурках на этих.) Помню, я шла мимо магазина и в широкое освещенное окно его увидела, что женщины ползают по полкам, как осы. Меня вихрем закрутило, внесло внутрь. Там — с давкой и криками — продавалась нечеловеческая, неприличная красота: розовые замшевые туфли на высоком толстом каблуке, с бантом на пятке. Ослепнув от страсти, я прорвалась к прилавку и дрожащими руками отдала за них всю свою наличность, всю стипендию, которая, к сожалению, была со мной в сумочке.

Конечно, это был нечеловеческий ужас: температурный бред поросенка. Конечно, их сделали в какой-то социалистической стране, в которой ступни у женщин плоские, как утюги. Конечно, эти банты не подходили ни к одной одежде, так что приходилось прятать ноги под стул, а потом пришлось их и вовсе оторвать, после чего совсем стало непонятно, почему у девушки на ногах эти куски ветчины, этот окорок тамбовский? И еще я покрасила свои густые медвежьи волосы в темно-зеленый цвет, — у меня была темно-зеленая мохеровая кофта, и волосы стали совершенно как эта кофта; зеленкой красила, в тазу.

Я вышла из ванны, равномерно зеленая и мохнатая от макушки до попы; из этих ТЮЗовских джунглей сверкали стеклышки моих близоруких очков, а на ногах топырились свиные рульки.

— Ты варвар! — сказала мама.

Ну значит варвар.

Как мы знаем, Вселенная всегда откликается на наши просьбы и запросы, но неточно, словно недослышав: потом, позже в жизни, когда я жила в Америке, я смогла вволю накупить себе и бус, и шалей, и всего этого барахла, и там, конечно же, был специальный праздник Хэллоуин, карнавал для таких как я, и конечно же, я выпросила в своем колледже театральный реквизит — кринолин, шекспировское что-то, Гертруда, наверно. Тяжелая парча, и кружева, и банты, и все это пахло пылью и кулисами, — я накрасила глаза до бровей особой театральной пудрой с блестками, и сияла как крокодил на солнце, и даже получила на домашнем балу какой-то приз за свой наряд: банку маринованных грибов, собранных в Массачусетсе эмигрантами, но все это было совершенно не то. И банты были фальшивыми, мертвыми, и кринолин был чужой и молчал. И, окруженная скелетами, тиграми, пиратами, ведьмами, утопленниками, висельниками и вампирами, я чувствовала себя не собой, а такой вот тоже нечистью, которой предстоит сгинуть с первыми лучами солнца, когда пропоет третий петух.

Нет, не надо мне этого.

Я покупаю себе красивые платья, вешаю их в шкаф и не ношу их. Туфлей у меня не перечесть. Я покупаю сумочки, шарфики, цепочки всех сортов, серьги и складываю все это в ящики комода. Есть у меня специальные шкатулки для колец, есть полки для шалей. Там и сям стоят группами флаконы с духами; я их покупаю, но душиться не люблю. Каждый год я покупаю себе новый серебряный браслет и даю ему тайное имя. Когда я сажусь работать, я раскладываю перед собой свои побрякушки, но не надеваю: а зачем. У меня хорошее воображение, и в своем воображении я владею всеми вещами мира, люблю что хочу и кого хочу.

Не пойду по дороге, пойду поперек. Не по земле, по облакам.

Чужие сны

Петербург строился не для нас. Не для меня. Мы все там чужие: и мужчины, и женщины, и надменное начальство в карете ли, в мерседесе ли, наивно думающее, что ему хоть что-нибудь здесь принадлежит, и простой пешеход, всегда облитый водою из-под начальственных колес, закиданный комьями желтого снега из-под копыт административного рысака. В Петербурге ты всегда облит и закидан — погода такая. Недаром раз в год, чтобы ты не забывался, сама река легко и гневно выходит из берегов и показывает тебе кузькину мать.

Некогда Петр Великий съездил в Амстердам, постоял на деревянных мостиках над серой рябью каналов, вдохнул запах гниющих свай, рыбьей чешуи, водяного холода. Стеклянные, выпуклые глаза вобрали желтый негаснущий свет морского заката, мокрый цвет баркасов, шелковую зеленую гниль, живущую на досках, над краем воды. И ослепли.

С тех пор он видел сны. Вода и ее переменчивый цвет, ее обманные облики вошли в его сны и притворялись небесным городом, — золото на голубом, зеленое на черном. Водяные улицы — зыбкие, как и полагается; водяные стены, водяные шпили, водяные купола. На улицах — водянистые, голубоватые лица жителей. Царь построил город своего сна, а потом умер, по слухам, от водянки; по другим же слухам, простудился, спасая тонущих рыбаков.

Он-то умер, а город-то остался, и вот, жить нам теперь в чужом сне.

Сны сродни литературе. У них, конечно, общий источник, а кроме того, они порождают друг друга, наслаиваются, сонное повествование перепутывается с литературным, и все, кто писал о Петербурге, — Пушкин, Гоголь, Достоевский, Белый, Блок, — развесили свои сны по всему городу, как тонкую моросящую паутину, сетчатые дождевые покрывала. От бушующих волн Медного всадника и зелено-бледных пушкинских небес до блоковской желтой зари и болотной нежити — город все тот же: сырой, торжественный, бедный, не по-человечески прекрасный, не по-людски страшненький, неприспособленный для простой человеческой жизни.

Я непременно куплю в Питере квартиру: я не хочу простой человеческой жизни. Я хочу сложных снов, а они в Питере сами родятся из мор-

31

ского ветра и сырости. Я хочу жить на высоком этаже, может быть, в четвертом дворе с видом на дальние крыши из окна-бойницы. Дальние крыши будут казаться не такими ржавыми, какие они на самом деле, и прорехи покажутся таинственными тенями. Вблизи все будет, конечно, другое, потрепанное: загнутые ветром кровельные листы, осыпавшаяся до красного кирпича штукатурка, деревце, выросшее на заброшенном балконе, да и сам балкон с выставленными и непригодившимися, пересохшими до дровяного статуса лыжами, с трехлитровыми банками и тряпкой, некогда бывшей чем-то даже кокетливым.

Особенно хочется дождаться в питерской квартире поздней осени, когда на улице будет совершенно непереносимо: серые многослойные тучи, как ватник водопроводчика, сырость, пробирающая до костей, секущий, холодный ингерманландский дождь, длинные лужи, глинистые скверы с пьяными. Потом ранняя, быстрая тьма, мотающиеся тени деревьев, лиловатый, словно в мертвецкой, свет фонарей и опасный мрак подворотен: второй двор, третий двор, ужасный четвертый двор, только не оглядываться.

Да, и еще длинные боковые улицы без магазинов, без витрин с их ложным, будто бы домашним уютом. Слепые темные тротуары, где-то сбоку простроченные глумящими, мокрыми, невидимыми деревьями, только в конце, далеко, в створе улицы — блеск трамвайного рельса под жидким, красным огнем ночного ненужного винного бара.

Кто не бежал, прижав уши, по такой страшной бронхитной погоде, кто не промокал до позвоночника, кто не пугался парадных и подворотен, тот не оценит животное, кухонное, батарейное тепло человеческого жилища. Кто не слышал, как смерть дует в спину, не обрадуется радостям очага. Так что, если драгоценное чувство живой жизни притупилось, надо ехать в Питер в октябре. Если повезет, а везет почти всегда — уедешь оттуда полуживой. Для умерщвления плоти хорош также ноябрь с мокрым, ежеминутно меняющим направление снеговым ветром, а если не сложилась осенняя поездка — отлично подойдет и март. В марте лед на реках уже не крепок, не выдержит и собаки, весь покрыт полыньями, проталинами, синяками, но дует с него чем-то таким страшным, что обдирает лицо докрасна за шестьдесят секунд, руки — за десять.

Непременно, непременно куплю себе квартиру в Питере, слеплю себе гнездо из пуха, слюны, разбитых скорлупок своих прежних жизней, построю хижину из палочек, как второй поросенок, Нуф-Нуф. Натаскаю туда всякой домашней дря-

ни, чашек и занавесок, горшков с белыми флоксами, сяду к окну и буду смотреть чужие сны.

Окон в Питере никогда никто не моет. Почему — непонятно. Впервые я обратила на это
внимание в конце восьмидесятых годов, когда
началась перестройка. Ясно, что тогда телевизор было смотреть интереснее, чем выглядывать
в окно: кого еще сняли?.. что еще разрешили?..
Потом интерес к политике угас, все сели, как за-
вороженные, смотреть мыльные оперы, так что
тут тоже стало не до ведер с мыльной водой. Потом жизнь поехала в сторону полного разорения,
денег не стало, потолки осыпались на скатерти,
а обои свернулись в ленты, и мыть окна стало
как-то совсем неуместно. Кроме того, Питеру
всегда была свойственна некоторая надменность,
горькое презрение к властям всех уровней, от
жэка до государя императора: если «они» полагают, что со мной можно так обращаться, то вот
вам, милостивый государь, мое немытое окно,
получите-с. Но возможны и другие объяснения:
нежелание смотреть чужие сны, смутный протест против того, что куда ни повернись — всюду натыкаешься глазом на чужое, на неродное,
на построенное не для нас. Или, потеряв статус
столицы, Питер опустился, как дряхлеющая красавица? Или в ожидании белых, томительных
ночей, выпивающих душу, жители копят пыль
на стеклах, чтобы темней было спать? Или же

это особое питерское безумие, легкое, нестрашное, но упорное, как бормотание во сне? Когда я осторожно спросила свою питерскую подругу, почему она не моет окон, она помолчала, посмотрела на меня странным взглядом и туманно ответила: «Да у меня вообще ванна в кухне…»

Эта была правда, ванна стояла посреди огромной холодной кухни, ничем не занавешанная, но в рабочем состоянии, при этом в квартире — естественно, коммунальной, — жило двенадцать человек, и, по слухам, мылись в этой ванной, не знаю уж как. И, наверно, это было как во сне, когда вдруг обнаруживаешь, что ты голый посреди толпы, и этого никак не поправить по каким-то сложным, запутанным причинам.

Как и полагается лунатикам, петербуржцы гуляют по крышам. Существуют налаженные маршруты, вполне официальные, и можно собраться небольшой группой и отправиться с небесным поводырем на экскурсию, перебираясь с дома на дом по каким-то воздушным тропам; есть и частные прогулки: через лазы, слуховые окна, чердаки, по конькам крыш, на страшной для бодрствующего человека высоте, но ведь они спят, и им не страшно. С высоты они видят воду, балконы, статуи, сирень, третьи и четвертые дворы, далекие шпили — один с ангелом, другой с корабликом, развешанное белье, колонны, пыльные окна, синие рябые кастрюли на подоконниках, и тот особенный воздух верхних этажей, то серый, то золотой, смотря по погоде, — который никогда не увидишь в низинах, у тротуаров. Мне кажется, что этот воздух всегда был, висел там, на семиэтажной высоте, висел еще тогда, когда города совсем не было, надо было только построить достаточно высокие дома, чтобы дотянуться до него, надо было только догадаться, что он плавает и сияет вон там, надо было запрокинуть голову и смотреть вверх.

Если не запрокидывать голову, то в Питере вообще нечего делать: асфальт как асфальт, пыль или лужи, кошмарные парадные, пахнущие кошками и человеком, мусорные баки, ларьки с кефиром «Петмол». Если же смотреть вверх, от второго этажа и выше, то увидишь совсем другой город: там еще живут маски, вазы, венки, рыцари, каменные коты, раковины, змеи, стрельчатые окна, витые колонки, львы, смеющиеся лица младенцев или ангелов. Их забыли, или не успели уничтожить мясники двадцатого века, гонявшиеся за людьми. Один, главный, все кружил по городу мокрыми октябрьскими вечерами, перепрятывался, таился, и в ночь на 25 октября, как нас учили в школе, заночевал у некоей Маргариты Фофановой, пламенной и так далее, а может быть, вовсе и не пламенной, — тут вам не Испания, — а обычной, водянистой и недальновидной дамы с лицом белым и прозрачным, как у всех, кто умывается невской водой. На рассвете, подкрепившись хорошим кофе и теплыми белыми булочками с вареньем из красной смородины, он выскользнул в дождевую мглу и побежал в Смольный: составлять списки жертв, прибирать к рукам то, что ему не принадлежало, ломать то, что не строил, сбивать лепнину, гадить в парадных, сморкаться в тюль, разорять чужие сны, а в первую очередь расстреливать поэтов и сновидцев. Хорошо ли ему спалось на пуховичках у Фофановой, или он весь извертелся, предвкушая мор и глад? Сладко ли спалось пламенной Маргарите, или же к ней приходил предзимний кошмар, суккуб с членами ледяными как ружейные стволы? Этого в школе не рассказывают, там вообще ничему важному не учат, — ни слова, например, о конструировании и размножении снов, а между тем, есть сон, в котором Маргарита, увидев, в свою очередь, другой сон, — какой, мне отсюда плохо видно, мешает угол дома, — тихо встает с лежанки, прихватив с собой подушку-думочку, — небольшую, размером как раз с лицо, тихо входит к похрапывающему, жуткому своему гостю и во имя всех живых и теплых, невинных и нежных, ни о чем не подозревающих, во имя будущего, во имя вечности плотно накладывает плотную, жесткую, бисерными розами вышитую подушечку на рыжеватое рыльце суккуба, на волосатые его дыхательные отверстия, насморочные воздуховоды, жевательную щель. Плотно-плотно накладывает, наваливается пламенным телом, ждет, пока щупальца и отростки, бьющиеся в воздухе, ослабеют и затихнут. И город спасен.

Никакие сны не проходят бесследно: от них всегда что-нибудь остается, только мы не знаем, чьи они. Когда на Литейном, в душном пекле лета, глаз ловит надпись на табличке в подворотне: «Каждый день — крокодилы, вараны, рептилии!» — что нужно об этом думать? Кто тут ворочался в портвейновом кошмаре, кто обирал зеленых чертей с рукава? Кто послал этот отчаянный крик и откуда — с привидевшейся Амазонки, с призрачного Нила, или с иных, безымянных рек, тайно связанных подземной связью с серыми невскими рукавами? И чем ему можно помочь?

Никому ничем нельзя помочь, разве что жить здесь, видеть свои собственные сны и развешивать их по утрам на просушку на балконных перилах, чтобы ветер разносил их, как мыльную пену, куда попало: на верхушки тополей, на крыши трамваев, на головы избранных, несущих, как заговорщики, белые флоксы — тайные знаки возрождения.

Белые стены

Аптекарь Янсон в 1948 году построил дачу, чтобы сдавать городским на лето. И себе сделал пристроечку в две комнаты, над курятником, с видом на парник. Хотел жить долго и счастливо, кушать свежие яички и огурчики, понемножку торговать настойкой валерианы, которую любовно выращивал собственными руками; в июне собирался встречать ораву съемщиков с баулами, детьми и неуправляемой собакой. Господь судил иначе, и Янсон умер, и мы, съемщики, купили дачу у его вдовы.

Все это было бесконечно давно, и Янсона я никогда не видела, и вдову не помню. Если разложить фотографии веером, по годам и сезонам, то видно, как бешено множится и растет чингисханова орда моих сестер и братьев, как дряхлеет собака, как разрушается и зарастает лебедой уютное янсоновское хозяйство. Где был насест, там семь пар лыж и санки без счету, а на месте парника валяемся и загораем молодые мы, в белых атласных лифчиках хрущевского пошива, в ничему не соответствующих цветастых трусах.

В 1968 году мы залезли на чердак. Там еще лежало сено, накошенное Янсоном за год до смерти Сталина. Там стоял большой-большой сундук, наполненный до краев маленькими-маленькими пробочками, которыми Янсон собирался затыкать маленькие-маленькие скляночки. Там был и другой сундук, кованый, страшно сухой внутри на ощупь; в нем чудно сохранились огромные легкие валенки траурного цвета, числом шесть. Под валенками лежали, аккуратно убранные в стопочку, темные платья на мелкую, как птичка, женщину; под платьями — уже распадающиеся на кварки серо-желтые кружева, — их можно было растереть пальцами и просыпать на дно сундука, туда, где лежала, растертая и просыпанная временем, пыль неопознаваемого, неизвестно чьего, какого-то чего-то.

В 1980 году, в припадке разведения клубники, мы перекопали бурьян в том углу сада, где, по смутным воспоминаниям старожилов, некогда цвел и плодоносил аптекарский эдем. На некоей глубине мы откопали некий большой железный предмет, испугались, выслушали заверения тех же старожилов, что это не снаряд, потому что во время войны сюда ничего не долетало, опять испугались и зарыли это, притоптав. Когда перекладывали печку, ничего янсоновского не нашли. Когда меняли печную трубу — тоже. Когда кухня провалилась в подпол, а рукомойник в курятник, — очень надеялись, но напрасно. Когда заделывали огромную дыру, оставленную пролетариатом между совершенно новой трубой и абсолютно новой печью, — нашли брюки и обрадовались, но это были наши же собственные брюки, потерянные так давно, что их не сразу опознали. Янсон рассеялся, распался, ушел в землю, его мир был уже давно и плотно завален мусором четырех поколений мира нашего. И уже подросли такие возмутительно новые дети, которые не помнили украденной любителями цветных металлов таблички «М.Л. Янсонъ», не кидались друг в друга сотнями маленьких-маленьких пробочек, не находили в зарослях крапивы белый зонтик заблудившейся, ушедшей куда глаза глядят валерианы.

Летом 1997 года, обсчитавшись сдуру и решив, что даче нашей исполняется полвека, мы решили как-нибудь отпраздновать это событие и купили белые обои с зелеными веночками. Пусть, подумали мы, в том закуте, где отваливается от стены рукомойник, где на полке стоят банки засохшей олифы и коробки со слипшимися гвоздями, — пусть там будет Версаль. А чтобы дворцовая атмосфера была совсем уж роскошной, мы старые обои отдерем до голой фанеры и наклеим наш помпадур на чистое. Евроремонт так евроремонт.

Под белыми в зеленую шашечку оказались белые в синюю рябу, под рябой — серовато-весенние с плакучими березовыми сережками, под ними лиловые с выпуклыми белыми розами, под лиловыми — коричнево-красные, густо записанные кленовыми листьями, под кленами открылись газеты — освобождены Орел и Белгород, праздничный салют; под салютом — «народ требует казни кровавых зиновьевско-бухаринских собак»; под собаками — траурная очередь к Ильичу. Из-под Ильича пристально и тревожно, будто и не мазали их крахмальным клейстером, глянули на нас бравые господа офицеры, препоясанные, густо усатые, групповой снимок в Галиции. И уже напоследок, из-под этой братской могилы, из-под могил, могил, могил и могил, на самом дне — крем «Усатин» (а как же!), и: «Все высшее общество Америки употребляет только чай *Kokio* букет ландыша. Склады чаев Дубинина, Москва Петровка 51», и: «Отчего я так красива и молода? — Ионачивара Масакадо, выдается и высылается бесплатно», и: «Покупая гильзы, не говорите: "Дайте мне коробку хороших гильз", а скажите: ДАЙТЕ ГИЛЬЗЫ КАТЫКА, лишь тогда ВЫ можете быть уверены, что получили гильзы, которые не рвутся, не мнутся, тонки и гигиеничны. ДА, ГИЛЬЗЫ ТОЛЬКО КАТЫКА».

Начав рвать и мять, мы всё рвали и мяли слои времени, ломкие, как старые проклеенные газеты; рвали газеты, ломкие, как слои времени; начав рвать, мы уже не могли остановиться, — из-под старой бумаги, из-под наслоений и вздутий сыпалась тонкая древесная труха, мусорок, оставшийся после древоточца, после мыши, после Янсона, после короедов, после мучного червя с семейством, радостно попировавших сухим крахмалом и оставивших после себя микрон воздушной прокладки между напластованиями истории, между тектоническими плитами чьих-то горестей.

Литература — это всего лишь буквы на бумаге, — говорят нам сегодня. Не-а. Не «всего лишь». В этой рукомойне, пахнущей мылом и подгнившими досками, была спальня аптекаря Янсона; намереваясь жить скромно, долго и счастливо, он любовно оклеивал ее сбереженными с детства газетами, — стопочка к стопочке, пробочка к пробочке, ничего не надо выбрасывать, а сверху обои, — аккуратный, должно быть, и чистый, обрусевший швед, он уютно и любовно устроил себе спаленку, — частный уголок, толстая дверь с тяжелым шпингалетом, под полом — свои, чистые куры. В смежной каморке, с балконом, с окном на закат, на черные карельские ели, — столовая-гостиная: можно кушать кофе с цикорием, можно, сидя в жестком лютеранском кресле, думать о прошлом, о будущем, о том, как уцелел, не сгинул, как растит лекарственные травы, о том, как пройдет по первому снегу в легких черных валенках. Вот достанет из сундука — и пройдет, оставит следы.

Мы сорвали всю бумагу, всю подчистую, мы прошлись наждачной шкуркой по босым, оголившимся доскам; азарт очищения охватил все четыре поколения, мы терли и терли. Мы правда старались: мы не жалели ногтей и скребков; местный магазин, пребывавший тридцать лет в коматозном оцепенении и никогда не предлагавший покупателям ничего, кроме резиновых сапог не нашего размера и карамели «подушечка с повидлом», в новую эпоху ожил и завалил полки продукцией «Джонсон и Джонсон»; Джонсоны против Янсона; а что же может поделать один Янсон против двух Джонсонов? Какие-то быстродействующие очистители и уничтожители — аэрозоли для стирания памяти, кислоты для выведения прошлого.

Мы выскребли все: и белые по лиловому розы, и кровавых собак, и клубы морозного дыхания в очереди к сыну инспектора народных училищ, и ряды завтрашних инвалидов и смертников, доверчиво, за неделю до увечья или смерти накупивших круглых жестяных банок шарлатанского «Усатина» в расчете на любовь и счастье, подобно аптекарю Янсону, запасшему много валенок для будущих, уже не понадобившихся ног.

Мы протерли доски добела, до проступившего рисунка годовых колец на скобленом дереве. Мы дали стенам просохнуть. Потом мы взяли большую кисть, обмакнули ее в синтетический, очень цепкий, с гарантией, клей и как следует, без пузырей — по инструкции, — промазали клеем изнаночную сторону версальских обоев. Потом мы сложили обойные полосы пополам — клей на клей, — отнесли в спальню аптекаря Янсона, где, опять же по инструкции, снова развернули полосы во всю длину и, крепко нажимая «старой ветошью» (неузнаваемой трикотажной тряпкой, некогда бывшей неизвестно чем), притерли свежие, белые в веночках обои к свежей, еще пахнущей Джонсоном и Джонсоном — обоими Джонсонами — стене. Клей взялся, европеец не подвел, обои прилипли как страстный поцелуй, без люфта.

И вообще лето под Питером было хорошее, сухое, жаркое. Все быстро сохло. Наши обои, например, наутро уже выглядели так, будто они тут всегда и были: без темных пятен, без ничего такого. Оказалось, что это не очень сложно — обдирать и клеить. Эффект, конечно, вышел не совсем дворцовый и, честно говоря, совсем не европейский, — ну, промахнулись, с кем не бывает. Не то, чтобы не доставало артистизма, а — прямо скажем — глаза бы наши не глядели, — чего уж там — получился сарай в цветочках. Собачья будка. Приют убогого, слепорожденного чухонца. В куске все смотрится не совсем так, как на стене, верно? Вот если купить совсем, совсем белые обои — без рисунка, — а сейчас ведь все можно достать, — вот тогда будет очень хорошо. И этот наш ошибочный, виньеточный, совершенно случайный и непредусмотренный узор и позор укроется под белым, ровным, аристократически-безразличным, демократически-нейтральным, ко всему равнодушным, спокойным, приветливым, никого не раздражающим слоем благородной, буддийской простоты.

И в городе, у себя дома каждый сделает то же самое. Белое — это просто и благородно. Ничего лишнего. Белые стены. Белые обои. А лучше — просто малярная кисть или валик, водоэмульсионная краска или штукатурка, — шарах — и чисто. Все сейчас так делают. — И я так сделаю. — И я.

И я тоже. Мне нравится белое! Начать жизнь сначала! Не сдаваться! На цыпочках, осторожно, чтобы не побеспокоить, чуть заметной тенью, в шерстяных носках по новенькому линолеуму, с валенками подмышкой, с букетом звездчатой валерианы в руках, с пробочками и скляночками в оттопыренных карманах, с усатыми и бритыми инвалидами всех времен в испуганной памяти, выходить вонъ Михаилъ Августовичъ Янсонъ, шведъ, лютеранинъ, мещанинъ, гражданинъ, аптекарь — трудолюбивый садовник, запасливый и аккуратный человек, без лица, без наследников, без примет, — Михаил Августович, муж маленькой жены, житель маленьких комнат, чуточку смелый, но очень скрытный хранитель запрещенного прошлого, свидетель истории, добела ободранной нами со стен его бывшей каморки. Михаил Августович, про которого я ничего не знаю и теперь уже никогда, никогда не узнаю, — кроме того, что он закопал непонятное железное в саду, спрятал ненужное тряпичное на чердаке, укрыл недопустимое, невозвратимое под обоями спальни. Своими руками я содрала последние следы Михаила Августовича со стен, за которые он цеплялся полвека, — и, ненужный больше ни одному человеку на этом новом, отбеленном, отстиранном, продезинфицированном свете, он ушел, наверное, навсегда и непоправимо, в травы и листья, в хлорофилл, в корни сорняков, в немую, вечно шумящую на ветру, безымянную и блаженную, господню фармакопею.

Как мы были
французами

Я, собственно, вполне могла бы родиться француженкой: мои дедушка с бабушкой убежали во Францию в 1919 году. Чемодан — корабль — Марсель. Бежали из Одессы, едва ли не на последнем пароходе, — взятки, давка, крики, потерянные чемоданы, потерявшиеся дети, общая паника. С ними был мой двухлетний папа. Маленький беженец вез с собой пузырек с сухими мухами — любимую игрушку, и волновался за их сохранность: «где мухочки мои?» Мухочки благополучно прибыли в Византию, а потом, вместе с людьми, пересели на пароход, идущий во Францию. Деньги кончились, а ничтожные остатки их бабушка разложила в три конверта: 1) на пароход от Константинополя до Марселя, 2) на поезд от Марселя до Парижа, 3) на буйабес в марсельском порту. А дальше уж — как-нибудь.

Таков русский эмигрант, таков вообще русский человек: пусть позади огонь, смерчи, рухнувшие царства, пусть впереди — нищета и полная неизвестность, но как же не поесть буйабесуто. Сойдя на берег, оборванный и в пыли, волоча свое барахлишко, опаленное вселенским пожаром, русский человек бредет в лучшее место на свете — французский ресторан, трактир, бистро. Ибо последней нашей пристанью, наградой за все тяготы, концом всех дорог была и будет Франция. Все европейские пути, как известно, ведут в Рим, а чей-то длинный язык доводит и до Киева, но нам туда не надо. «Вот он, от века назначенный, наш путь в Дамаск», но нам не надо и туда. Нам надо в Париж! Русский мечтатель, русский скиталец перефранцузит всякого француза, перепарижанит любого парижанина: тот живет себе, поживает, и уже никуда не стремится: ну разве что в бутик или в парикмахерскую, а мы стремимся до утраты сил: в Париж, в Париж!

Это наш город, хотя нас никто сюда не звал. Это наша история: и Луи Каторз, и Мария-Антуанетта, и революция с гильотиной, и Шарлотта Корде, убившая Марата в ванне, — совершеннейшие свои. Корсиканское чудовище нам как родное: оно стало коньяком и тортиком, уютненько легло в коробочки и бутылочки, а то, что чудовище хотело нас завоевать и при этом сгорела вся Москва, — ай да ладно, ну кто считается? Приходите еще. Или лучше мы к вам.

Это наши вина, это наша еда, — в идеале, конечно. Дома мы уж как-нибудь перебиваемся с водки на картошку, знаем толк в копченой и малосольной рыбке, понимаем тонкости квашения, фыркаем на поддельно-малосольные огурчики, предлагаемые трудолюбивыми кавказскими народами, не знакомыми ни с дубом, ни с хреном, ни со смородиновым листом; малосолим сами. Дома мы печем пироги с капустой, варим щи и борщи, наворачиваем по полной и просим еще и вторую порцию — вкусно же, черт!.. Но это все жизнь земная, здешняя, посюсторонняя. А там, а там, в голубой дымке, на Больших Бульварах, в Латинском квартале, в Пасси, на улице Шерш-Миди, в Сен-Жермен-де-Пре!.. Там такое! Такое!.. Собственно, трудно даже сказать, какое, потому что дело же не только в исходных продуктах — трюфели там, устрицы, гусиная печенка, это уже просто банально, — а в том, как, что и с чем сплетено, в сочетании несочетаемого, в искусстве невозможного, в смелости и тонкости, в особом, что ли, национальном демоне галльского народа: соедините вспыльчивость, скупость, терпение, эгоизм, философичность, чувственность, блеск, взбивайте веселкой полторы тысячи лет, — тогда и будет французская, ни с чем не сравнимая кухня.

Но сколько мы ни перенимаем французские блюда, сколько ни приспосабливаем свой стол к их рецептуре, а все получается не то. Было жарко и душно, и Мегрэ выпил полный стакан рома, — пишет Сименон. Вот нет другой такой нации, которая стала бы лечить грипп, да еще при температуре под сорок, противным, сладким ромом. По-видимому, их голова болит по-другому. И ход мыслей в ней иной: «а завтра, раз он болен гриппом, мадам Мегрэ приготовит ему крем-брюле». Знаменитый комиссар целый день пересаживается из бара в бар, выпивая тут рюмку кальвадоса, здесь виски, там стакан белого вина, «но редко приходит домой нетрезвым». Наш человек после такого ерша возвращался бы домой на бровях, и его «мадам» встречала бы его словами: «опять нажрался, козел?» Потому что пил бы наш комиссар с целью одуреть, французский же пьет для вкуса. И ест он свою французскую кухню не от случая к случаю, а каждый день. И мадам приготовит ему сегодня «овощной суп, бараньи почки и взбитые сливки», а завтра еще что-нибудь сложное и упоительное, а не будет ворчать: «ешь, что дают».

Моя бабушка в Париже наловчилась не просто готовить, но мыслить французскими категориями. Например, она всегда делала майонез сама. Я тоже пробовала, но мне не хватало ни терпения, ни тонкости. Температурный режим, добавление продуктов по капле — ой, это было не для меня. Моего искусства хватало разве что на то, чтобы сварить таз макарон. И кетчупом сверху, кетчупом. В крепкий и прозрачный мясной бульон бабушка предлагала положить анчоус — по штучке в тарелку. Ну куда же рыбу к мясу? — думала я. Если в холодильнике был один лук, то понятно было, что еды нет. А бабушка делала луковый суп. Украсить желе из сливочного риса грушами, сваренными с сахаром, я и сейчас не решусь. Я так и не родилась француженкой: через четыре года эмиграции наша семья вернулась в страну вареной картошки, и в школе нас учили: человек не живет, чтобы есть, но ест, чтобы жить. А зачем же он живет? — а чтобы бороться за счастье всего человечества. Между тем, счастье всего понимающего человечества — французские сыры — можно без всякой борьбы раздобыть в Париже на каждом углу, а любители ездят на рю Муфтар — на «Муфтарку», как ее называют русские парижане, специальную сырную улицу, знаменитую дешевизной и разнообразием. Там я однажды купила шестнадцать сортов сыра — в память о бабушке и для наступления общего счастья — и храню кассовый чек, на котором напечатано: «Вас обслуживала КАТЕРИНА, которая благодарит вас». Благодарить-то должна я, потому что Катерина, видя мою дремучесть, взялась мною руководить и показала, что надо с чем есть: с вот этим вонюче-портяночным козьим, завернутым в какой-то лист — мармелад из инжира, а вон с тем твердым — хлеб с пряностями, но на самом деле он не хлеб и не с пряностями, а просто так называется, — но на дальнейшее понимание моего французского языка не хватило. (Хлеб оказался кексом со сложнейшим ароматом, из всего состава которого я опознала только апельсиновую цедру.) Список же сыров на чеке читается, как список гомеровских кораблей: Реблошон, Морбье, Бофор, Кабри Арьежуа, Мотэ, Банон Фёй, Пон-ль-Эвек, — какие-то вечные моря, паруса, проливы, фата-морганы, «старые пристани Европы», далекая голубая дымка над Лютецией, иные зовы, иные люди.

Мы французам совершенно не нужны, а они нам необходимы. Мы к ним стремимся, мы липнем, а они в лучшем случае к нам равнодушны, в худшем — отшатываются. Мы любим чужое, иностранное, а они — свое, французское. Мы знаем: если что — эмигрируем в Париж, сядем на веранде кафе, нога на ногу, будем обмахиваться газетой, — фу, ну слава богу, доехали. Наконец-то мы дома. Так… Что это они тут без нас понастроили? Зачем Бобур, это тут ни к чему. Пирамида во дворе Лувра — ну кто разрешил. Арабов развелось сверх меры — гнать их в шею. Это наше место. Это наш город. Посмотрите, какие чудные мансарды. Вон то окошко — как раз для меня. Я хочу выходить на вон тот балкон. «В дождь Париж расцветает, как серая роза», — писал Максимиллиан Волошин. Зачем же все дома почистили пескоструями, сделав розу белой? Написано:

серая, пусть будет серая. Мы лучше знаем. Загубив свои города плесенью и новоделами, мы хотим сохранить Париж таким, каким его воспели наши же поэты. «Ему обещает полмира, а Францию — только себе».

Мне не удалось родиться француженкой: буйабес был давно забыт, денег все не было, есть было нечего, и однажды дед сказал бабушке, чтобы она пошла в аптеку и на последние гроши купила яду на всех: умрем все вместе. Бабушка охотно согласилась, прогулялась к мяснику, купила на все франки бифштексов и они отлично поужинали. В Париже глупо кончать с собой, когда можно поужинать. А потом они все равно вернулись в Россию.

И ничего от нас в Париже не осталось, кроме сухих «мухочек». Они рассыпались в серебряную пыль, и молекулы ее, наверно, и сейчас гоняет ветер над крышами лучшего города, который мы смогли придумать.

Париж кармический

В моей жизни, на моей дорожной карте Париж помечен каким-то особым красным маркером: то ли карма такая, то ли феньшуй боком вышел, то ли католики сглазили, то ли кто напустил порчу, наложил заклятье, но вот именно в Париже незримые темные силы злобно бросаются ко мне, чтобы напакостить необычным, изощренным способом.

Ну вот, например, приехала я в Париж. Апрель. Иду в магазин купить хорошего чая, к которому я пристрастилась, бросив курить. Как писала в своих мемуарах Аполлинария Суслова, муза Достоевского и эринния Вас. Вас. Розанова, «чай заменяет мне все: любовника, друга», *etc*. Что-то в этом есть.

Поскольку я Телец, а Телец любит опт, я закупилась чаем на годы вперед — три с половиной килограмма, чтобы быть точной. Пить, раздавать, приходить со своим чаем в гости, дарить на Новый год в хорошенькой упаковочке. Иду, стало быть, волочу тючок.

А тут рядом с чайным магазином бутик приветливо так расположился, хороший такой бутик. Там все шелковое, моего размера и доступной цены; а раз цена доступная, то, понятное дело, накупаешь тучу вещей, горы нужного и вавилоны ненужного, ибо при понижении цены алчность обостряется, как мы все хорошо знаем. Купила блузочку цвета плаща Богородицы, другую — мятного цвета, хотя у меня такая уже была и притворялась платьем, но разве перед мятным цветом устоишь; купила третью цвета «баклажан в ночи». Пиджачок совершенно ненужный купила в связи с тем, что он был такой, знаете, не то чтобы белый, а как будто кто-то наелся вареного лосося и дыхнул на сметану. Такого вот цвета.

А денег с собой на все дело не было, оставила в гостинице. Я же только за чаем. А хозяин бутика такой тоже весь стильный и прекрасный, лет восемьдесят ему, но еще ого-го, волосы серебряные, шарф. Если ветер подует, или осень пришла, французу не страшно, у француза есть шарф. Когда зима, это, конечно, сложнее: придется поднять воротник.

Я хозяину говорю: ждите, я за деньгами. Он так: жду, понимаю. Я так глазами: верь, я вернусь. Он так бровями: какие могут быть сомнения.

Уходила со свернутой на спину на 180 градусов головой: позади еще осталась масса прекрасного и не купленного: платье цвета «брызги белого на черном», ай, что говорить.

Вот вернулась я в гостиницу, чай сбросила, деньги хвать, в голове мечты, иду себе, пританцовывая и чувствуя разные чувства: Париж! Париж! Бульвар Сен-Жермен, и солнышко светит прелестно так, по-апрельски. Смотрю — стоит какой-то месьё посреди тротуара, ведет беседу с какими-то господами, а в руках у него длинная белая палка, и он этот палкой вертит: то взмахнет ею, то поднимет как удочку, то справа налево... Как странно, подумала я, проходя в метре от него и приветливо так, по-апрельски, по-парижски ему улыбнулась. Как странно... Но додумать свою мысль не успела: месьё с размаху крутанул своей палкой, сбил меня ею с ног, и я со всего размаха растянулась на асфальте бульвара Сен-Жермен, моего любимого, кстати. Хотя какая разница.

Сначала я упала на колени, проехалась на них, сдирая колготки и кожу, а потом, стало быть, и распласталась, сумка в сторону, евро веером, айпад отъехал, как большая плитка шоколада. Все как в стихотворении «Рано утром на Тверской». Парижский народ тоже не реагирует.

Тут меня, конечно, разобрал дикий смех: лежу и хохочу. До меня дошло: месьё, махавший странной белой палкой, был слепой, и его собеседники тоже были слепыми: у них у всех тоже — осенило меня — были в руках белые палки. И вот сквозь смех я слышу, как он говорит довольным таким голосом: «Кажется, я кого-то сбил». А товарищи, тоже довольными голосами: «О!» Хорошо, значит, утро началось. Может, и дальше день хорошо пойдет.

Ну, я собрала себя в кучку, осмотрела раны и дохромала до ближайшей аптеки, где мне промыли коленки и остановили кровь. Осмотрела себя в зеркале: лохмотья колготок хорошо гармонировали с моим изгвазданным манто и полуоторванным его рукавом. Хозяин бутика, которому я вручила черными кровоточащими руками свои перепачканные евро, тоже погасил во взоре небольшое изумление: уходила дамой, вернулась бомжом.

Можно подумать, это все чисто случайно. Хотя я склонна усматривать повсюду знаки и символы. Возможно, Вселенная хотела мне сказать: «смотри, куда идешь», или: «ты падешь жертвой слепых страстей», или, проще: «куда тебе столько кофточек, тем более, что синяя тебе мала». Но в других-то городах ничего такого ведь не случается? Это Париж, специальное такое место.

И вот буквально на днях. Опять мне в Париж, проездом. Всего-то часа два в Париже: переночевать и ехать дальше. Времени в обрез, так что демоны вцепились в меня не откладывая. Прилетела я на ночь глядя. Впорхнула с 20-килограммовым чемоданом в поезд (вот спроси́те меня, зачем мне столько добра на тихом курорте? Спроси́те! Никто вам не ответит. Я потом удивляюсь, откуда у меня гематомы на пальцах), — впорхнула, говорю, вздохнула, говорю, и вроде бы уже все хорошо. Еду. Светло. Вокруг люди.

Как вдруг приходит мне смска: «Борис, дверной звонок не работает, звони на телефон. Ася».

У меня нет знакомых Борисов, Гребенщиков не в счет, да и Аси обходят меня стороной. Кто эти люди? Или это не люди? Демоны, может, переговариваются? Знаки подают? Двери, значит. С дверями что-то не то. Я бодро откликнулась смской: «Ася, ошиблись номером!», но никто не отозвался. Демоны не отзываются.

Поезд, по плану, доходил в аккурат до моей гостиницы, ни пересадок, ничего. Специально я так рассчитала, чтобы в глухую ночь не подвергаться превратностям.

Еду. И тут у меня за спиной, в пространстве между вагонами, начинается серия хлопков. Как бы небольшие взрывы. Поезд останавливается. Стоит. Медленно ползет дальше. Снова стоит в туннеле. Едет. Опять хлопки, все громче и чаще. Народ пригибается и смотрит в темные окна с опаской. В электрощите над моей головой зажигаются тревожные кнопки. Машинист по громкой связи бурчит что-то неразборчивое, народ начинает волноваться, поздние японцы волнуются: что он сказал? что он сказал? Наконец, совсем ужасный грохот, свет гаснет, поезд доползает до какой-то платформы, и граждане торопливо покидают вагоны. Выбежала и я со своими двадцатью килограммами. Где это мы? — спрашиваю. А с платформы говорят: «Это Гар-дю-Нор, билат».

Гардюнор так Гардюнор, такси возьму. Пошла по стрелкам к выходу. Толпа рассосалась, в полутемном вокзале я одна, всё какие-то уровни, эскалаторы, еще уровни, а навигация хуже чем у нас, честное слово. Стрелки уводят в тупики, в глухие стены, в лестницы без эскалаторов. Наконец забралась я на какой-то верхний этаж: стрелки обещали мне выход в огни Парижа, обещали такси и людей. А выход у них там из метро по билетику. Сунешь билетик в автомат — двери откроются и выпустят тебя. Высокие такие пластмассовые прозрачные двери. Вот я сунула билетик, прошла, волоча чемодан, а двери раз! — и схлопнулись. Фотоэлемент посчитал мой чемодан за второго человека, безбилетного. За безбилетника створки руку мне не откусили — все же сейчас гуманность, не всем назначают гильотину, — там щель приличная оставлена: чемодан я держу, вижу его, но доступ к нему утрачен.

А в этот чемодан я только что, в аэропорту Шарль де Голль, собственноручно уложила компьютер, айпад, паспорт, все деньги, все карточки, телефон и вообще все ценное. Чтобы не держать это в сумочке в парижской-то ночи.

И вот я стою в пустыне, на каких-то полутемных и пустынных задворках, ночью, отделенная от всего своего имущества непроницаемой, хоть и прозрачной стеной. Видит око, да зуб неймет. Думаю, что какие-то сходные чувства переживает после смерти жадный богач: вот только что у тебя, мужик, все было. И вот уж ты в гробу, нематериальный такой, лучистый такой, а счета и имущество достались другим, ха-ха-ха.

Вот про что глухо переговаривались Борис и Ася.

Тут из полумрака сгустился негр. Он схватил мой чемодан, поднял его одной рукой высоко над перегородкой и опустил на моей, свободной территории. Я, конечно: гран мерси, мерси боку, но вслед за чемоданом негр и сам перемахнул через препятствие, не знаю уж как, и это мне совсем не понравилось.

Вы, говорит, не торопитесь? давайте знакомиться, общаться, дружить. — Очень, говорю, тороплюсь, а где тут такси у вас? — А уже первый час ночи, и вокруг глухие задворки, парковки, и тоскливая железнодорожная вонь, а там, вдали, где лица, тоже не совсем хорошо: «слышны крики попугая и гориллы голоса», как пели студенты технических вузов в моей юности и даже раньше того. Народец на улицы вывалил соответствующий, мечта либерала: трансвеститы, проститутки, понаехавшие и другие обездоленные с тяжелым детством и перспективой еще более тяжелой старости.

Я бегу туда, к спасительным трансвеститам и проституткам, а негр, поднимающий одной рукой двадцать килограммов выше головы, бежит за мной.

«Меня, — говорит, — зовут Жоакинто. Вы мадам или мадемуазель? Давайте немедленно общаться, разговаривать, вместе проводить время. Вы ведь не спешите? Вот мой номер телефона. Возьмите мой телефон. Почему вы не хотите брать мой телефон? Почему не хотите общаться? В чем причина?»

Вот как-то трудно сходу объяснить, в чем причина. Вот нелегко бывает подобрать точные слова.

Наконец ушла в отрыв. Вот стоянка такси. А в голове очереди вертится мелкий горбун, показывает каждому палец: один?.. Два пассажира?.. В нью-йоркских аэропортах всегда есть такой диспетчер, он сует тебе какие-то памятки, подгоняет машину поближе, направляет, следит, чтобы не собачились. Почем мне знать, может, и тут так?

Подходит моя очередь, горбун тыкает мне один палец и немедленно начинает вырывать у меня из рук сумочку и чемодан. Небольшая борьба, сумочку я удерживаю, горбун цепко ухватывает чемодан и волочит его два метра до машины. И меняет подъятый палец на сложенную ковшиком ладонь: плати за услугу. Ах ты дрянь такая, так я и знала. Хрен тебе, навязанные услуги я не оплачиваю, тем более, что деньги у меня только крупные, мелочи еще не натряслось.

Далее следует безобразная сцена: горбун лезет в машину с криками и плевками, я отталкиваю его ногой, он рвет дверцу машины, я ее вырываю и захлопываю, визг и проклятья вослед отъезжающей, наконец, машине.

На моей могиле прошу начертать: «а также дралась с горбуном в Париже в полночь и победила». Ну, чтобы моя многогранность была полнее отражена.

Ладно, едем.

«Вас как везти?» — спрашивает таксист, тоже продукт распада колониализма.

«В смысле?.. Меня — везти. Обычно. До гостиницы».

«Нет, ну как вы хотите? Быстро?.. Или?..»

Час от часу не легче. Даже не хочу знать, какие тут возможны варианты. Дама села в такси, назвала адрес. Какие вопросы? Правда, подралась с горбуном, но это, наверно, привычная ночная жизнь. А что еще ночью ждать на вокзале от дамы, верно? Так какие вопросы?

Приехали. Таксист посмотрел на мою денежку, поскучнел.

— Сдачи нету.

А, ну это не пройдет, мы и в Иерусалиме такси брали, и, страшно сказать, в Шереметьево. Понимаем. Нет сдачи — посидим, подождем, пока появится. Включила внутреннего буддиста, жду, посидели.

Через три минуты сдача совершенно случайно нашлась. Пять евро в кармане у таксиста завалялось.

Ура. Почти дома. Очаровательный портье в гостинице, марокканский такой красавец, похожий на студента Сорбонны, ни паспорта ему вашего не надо, ни кредитки, вот ваш ключ, вот ваш лифт, и приятных вам снов!

И я вставляю магнитный ключ в дверь с блаженным ощущением того, что я доехала, добралась, все преодолела и уцелела, что я шагнула с корабля на сушу, что мне не страшны уже ни Борис, ни Ася, — нажимаю ручку двери, шаг вперед — раздается душераздирающий вопль. Номер занят! На секунду моим глазам открывается незапланированное зрелище: старый негр уминает в кровати какую-то даму. Или мадемуазель. А может, ни то, ни другое.

Логичным завершением вечера стало то, что я вылила дрожащими руками бокал вина на клавиатуру компьютера. Он прожил минуты четыре, и перед смертью силился мне что-то сказать. Сначала он сменил языковую раскладку, но то были не буквы, а какие-то таившиеся в нем знаки. Я отчаянно тыкала в кнопки, но русский текст неудержимо превращался в волны, звезды, знаки интеграла, полумесяцы и кораблики. Потом лист с текстом как бы свернулся в трубочку и ополз. А потом наступила темнота.

На привале

Как-то раз я должна была улететь из Парижа в семь утра. А стало быть, регистрация начиналась в пять. А значит, до того надо было хотя бы успеть надеть на себя хоть что-нибудь и дотащиться на слабых утренних ногах с чемоданом до стойки аэропорта.

Самое разумное было в этом аэропорту и заночевать. И действительно, там нашлась гостиница для вот таких вот угрюмых предрассветных случаев: удобная, безликая, стерильная камера, — постель да душ, — а что еще нужно человеку на привале посреди долгого пути.

Накануне ночевки, вечером, в летних сумерках я ехала в эту гостиницу на поезде. Париж со своими сиреневыми туманами, золотыми мостами, серыми и овсяными домами остался позади, пошли сначала красивые предместья, потом предместья некрасивые, потом отвратительные, потом гаражи, склады, какие-то развороченные дворы с шинами, дождь, поля, полегшие выжженные травы, линии электропередач, изнанки уродливых поселений и снова дождь, и какие-то долгие шоссе с фурами, грузовиками, экономными козявками европейских малолитражек. И из окна гостиницы тоже было видно шоссе с бесконечно несущимися и мелькающими машинами, и дождь, и пожухлая трава обочин, и предотъездная печаль.

Я посмотрела, насладилась этой печалью, задернула занавески, рухнула в постель и благодарно провалилась в черный сон до рассвета, до Часа Быка.

И утром, закрывшись от мира душой как устрица, чувствуя в себе лишь остаток ночного тепла и недоспанный сон, быстро, вместе с такой же нелюдимой толпой — у некоторых на щеке еще оставался неразгладившийся отпечаток смятой подушки, — быстро добралась до аэропортовского поезда; двести метров показались мне километром булыжной дороги, но ничего; пять минут на поезде показались часом, но и это ничего; все было терпимо, все было выносимо, могло быть хуже. Родовая травма пробуждения была смягчена безликостью гостиничной комнаты; удар сознания, шок возвращения в этот мир, пощечина реальности утихли быстро, забылись в грохоте десятков чемоданных колес по рассветному асфальту: невольные спутники мои, такие же личинки, так же мрачно спешили прочь от ночного нашего инкубатора.

Это был аэропорт Шарль де Голль в селении Руасси.

И что же? С того дня взбесившийся сайт, на котором я заказываю гостиничные билеты, осатанело зовет меня туда, назад, в предвечные ячейки: «Татьяна! Спешите! Руасси ждет вас! Татьяна! Еще есть шансы! Татьяна, не упустите! Татьяна, последние номера!»

Он не зовет меня в Париж, в уютную клетушку в Сен-Жермене с зеленой веткой в окне и средневековым воркованием птицы на этой ветке, он не зовет в Андай, в номер, где из окна виден океан и голубые тучи Пиренеев, не зовет в Сан-Себастьян, где океан и дождь входят в окна, как в распахнутые ворота, и я, не вставая из-за стола, вижу, что́ там — отлив или прилив, и в соответствии с этим знанием пью кофе или вино. Нет, он хочет вернуть меня, запихнуть в клетку, в ячейку, в пчелиную соту, чтобы за окном шоссе и гаражи, и шины, и жухлая трава, и по траве, озираясь, бредет куда-то понаехавшее население Франции, качая дредами и скалясь белыми зубами.

Пустой день

Это утро не похоже ни на что, оно и не утро вовсе, а короткий обрывок первого дня: проба, бесплатный образец, авантитул. Нечего делать. Некуда идти. Бессмысленно начинать что-то новое, ведь еще не убрано старое: посуда, скатерти, обертки от подарков, хвоя, осыпавшаяся на паркет.

Ложишься на рассвете, встаешь на закате, попусту болтаешься по дому, смотришь в окно. Солнце первого января что в Москве, что в Питере садится в четыре часа дня, так что достается на нашу долю разве что клочок серого света, иссеченный мелкими, незрелыми снежинками, или красная, болезненная заря, ничего не предвещающая, кроме быстро наваливающейся тьмы.

Странные чувства. Вот только что мы суетились, торопливо разливали шампанское, усердно старались успеть чокнуться, пока длится имперский, медленный бой курантов, пытались уловить и осознать момент таинственного перехода, когда старое время словно бы рассыпается в прах, а нового времени еще нет. Радовались, как и все всегда радуются в эту минуту, волновались, как будто боялись не справиться, не суметь проскочить в невидимые двери. Но, как и всегда, справились, проскочили. И вот теперь, открыв сонные глаза на вечерней заре, мы входим в это странное состояние — ни восторга, ни огорчения, ни спешки, ни сожаления, ни бодрости, ни усталости, ни похмелья.

Этот день — лишний, как бывает лишним подарок: получить его приятно, а что с ним делать — неизвестно. Этот день — короткий, короче всех остальных в году. В этот день не готовят — всего полно, да и едят только один раз, и то все вчерашнее и без разбору: ассорти салатов, изменивших вкус, подсохшие пироги, которые позабыли накрыть салфеткой, фаршированные яйца, если остались. То ли это завтрак — но с водкой и селедкой; то ли обед, но без супа. Этот день тихий: отсмеялись вчера, отвеселились, обессилели.

Хорошо в этот день быть за городом, на даче, в деревне. Хорошо надеть старую одежду с рваными рукавами, лысую шубу, которую стыдно людям показать, валенки. Хорошо выйти и тупо постоять, бессмысленно глядя на небо, а если повезет — на звезды. Хорошо чувствовать себя — собой: ничьим, непонятным самому себе, уютным и домашним, шестилетним, вечным. Хорошо любить и не ждать подвоха. Хорошо прислониться: к столбу крыльца или к человеку.

Этот день не запомнится, настолько он пуст. Что делали? — ничего. Куда ходили? — никуда. О чем говорили? Да вроде бы ни о чем. Запомнится только пустота и краткость, и приглушенный свет, и драгоценное безделье, и милая вялость, и сладкая зевота, и спутанные мысли, и глубокий ранний сон.

Как бы мы жили, если бы этого дня не было! Как справились бы с жизнью, с ее оглушительным и жестоким ревом, с этим валом смысла, понять который мы все равно не успеваем, с валом дней, наматывающим и наматывающим июли, и сентябри, и ноябри!

Лишний, пустой, чудный день, короткая палочка среди трех с половиной сотен длинных, незаметно подсунутый нам, расчетливым, нам, ищущим смысла, объяснений, оправданий. День без числа, вне людского счета, день просто так, — Благодать.

Супчик

Три основных свойства, три черты характера определяют мою жизнь: глупость, жадность и тщеславие. Есть, безусловно, и другие, но они такого мощного влияния не оказывают.

Эти же оказывают, а объединившись вместе — тем более.

Например. Находясь в городе Питере, сварила я себе тыквенный супчик нечеловеческой вкусноты. Нечеловеческой. (Тщеславие.)

Но сварила я его к вечеру, а наутро мне уже надо было уезжать в Москву на поезде-сапсане. (Глупость.)

И мне стало жалко супчика, и затраченных на него трудов, и затраченных продуктов. (Жадность.)

Так что я взяла большую хорошую пластмассовую банку с завинчивающейся крышкой, специально для такого рода продуктов приспособленную, наполнила ее тыквенным моим прекрасным супчиком и уложила ее в чемоданчик. (Объединение ведущих жизненных качеств.)

Села в поезд Сапсан. Еду. Малую Вишеру проехали. Поглядываю в окно. По сторонам поглядываю. Кто передо мной сидит, чего делает. А передо мной сидит мужчина и с увлечением смотрит в свой ноутбук. А у него там мультфильм. (Я вообще заметила, что мужчины, ездящие в Сапсане, как правило, смотрят боевые рисованные мультики; объяснить этот феномен я могу только тем, что этим мужчинам, как мы и подозревали, девять лет, ну десять; а то, что у него очки, хорошее пальто, он немного лысеет, тщательно выбрит и время от времени разговаривает по мобильному о каких-то поставках, трубопрокате или накладных, — это ничего не значит. Просто мы доверяем трубопрокат девятилетним, почему нет-то.)

В ушах у этого мужчины наушники, и он время от времени всхахатывает, — когда уж очень там у него смешно в мультике. И согнутым пальцем периодически вытирает экран.

Я присмотрелась. Гляжу — а на экран мужчине с равными промежутками времени сверху что-то: кап… кап… кап… кап… Что за дрянь там на полке! — внутренне возмутилась я, а потом посмотрела — а это из моего чемоданчика. Суп.

Оранжевые такие капли — кап… кап… А этот девятилетний, нет чтобы разораться, раздувать ноздри, оглядываться по сторонам, вообще бушевать, — просто стирает тыквенное пюре с экрана то большим пальцем, то согнутым указательным; ему и сквозь суп веселое видно.

Видимо, его жизненные качества — незлобивость, смирение и тупоумие.

Макдональдс

У каждого есть свой рассказ о Макдональдсе. Есть и у меня свой. Расскажу.

Часть первая

27 февраля 1992 года немолодая американская дама Стелла Либек куда-то ехала с внуком на машине; внук был за рулем. Бабушке захотелось кофе — ужасного, жидкого водянистого американского кофе; это сейчас в Америке можно купить приличного кофе, а в 1992 году — ну не ближе, чем в Сиэтле, но они были не в Сиэтле. Внук подвез бабушку к Макдональдсу, потому что помои — они всюду помои, но в Макдональдсе они родные, и это так удобно, и вылезать не нужно: окно машины опустил, картонный стаканчик получил — и пей себе на здоровье. А если добавить в помои заменитель сахару и технические сливки из соевого белка, то это просто Парадайз и Аркадия. Макдональдс (в своем американском варианте) именно так и устроен: все народное,

безвкусное, поддельное, по цене доступное, — белые промокашки помидоров, вялые маринованные кружочки огурцов; салат как мятая бумага, мелкие пережаренные крючочки картошки-фри. Мертвые ножки кур, нашпигованных антибиотиками. Ворона аппетитнее, чем эти ножки. А у внука госпожи Либек машинка была дешевая, не было в ней специальной полочки с дыркой для стакана. Так что госпожа Либек зажала стаканчик между своих немолодых лядвей и отколупнула крышечку, дабы вбросить в любимые помои сахарку и сливок. А стаканчик и опрокинься, а она и обварись.

Госпожа Либек ошпарила себе внутреннюю поверхность бедер, причинное место и ягодицы. Шесть процентов площади тела получили ожоги третьей степени, еще шестнадцать процентов — меньших степеней. Неслабо для дамы 79 лет! Неделя в больнице. Потеряла в весе девять килограмм. Неудивительно, что она, по американскому обычаю, обвинила в случившемся не внука, не себя, не машину, в которой не нашлось приспособления для стаканчика, не Господа Бога или кого там, внушившего ей мысль выпить кофейку, а стаканчик. А чей он будет, стаканчик? А Макдональдовых. Вот пусть они за все и ответят. И подала иск на двадцать тысяч долларов: лечение и какой-то упущенный доход; уж не знаю, из чего она его извлекала, в 79 лет-то.

Совсем старуха взбесилась, — подумали в Макдональдсе, и в ответ предложили 800 долларов. Это была ошибка; старуха оскорбилась и наняла юриста. И началось!.. Я тогда жила в Америке и следила за процессом по газетам; да вся Америка, затаив дыхание, следила за этим сюжетом. Юрист — Рид Морган его звали — запросил три миллиона долларов, и присяжные с ним согласились! Помню, там такой был аргумент: Макдональдс говорил «а нечего стаканчик зажимать между ног», а Рид Морган на это отвечал, что это такая американская культурная традиция, его вот так пристраивать. Это, как у нас бы теперь сказали, скрепы. Вы против скреп?

Сколько в результате получила бабуля, мы не знаем, но, пишут, меньше 600 тысяч. Тоже неплохо, я вам скажу. Я вон себе дом в Америке за 150 тысяч покупала, так это Нью-Джерси, а старушка была из Альбукерке, штат Нью-Мехико, там недвижимость дешевле. Или она, скажем, внуку бабло завещала, а он удачно инвестировал, например, в Гугл, — но это я увлеклась и унеслась пустой мечтой в голубую дымку. Пардон.

Судебное разбирательство долго вертелось вокруг температуры злосчастного кофе. Макдональдс варил его и разливал при температуре около 82–88 градусов (по Цельсию). Нанятые бабулей сутяги доказывали, что еда и питье не должны быть горячее 54 градусов. Типично, типично американская презумпция: покупатель есть безгрешный, молочный, бессмысленный младенец, доверчиво берущий в рот и в руки любую гадость: ножи, яды, змей, колючую проволоку, кипяток. Поэтому производители опасных предметов должны на всех этих предметах писать дисклеймеры: «этот нож острый и может вас порезать», «эта вилка может вас проткнуть», «огонь может вас обжечь», и другое, очевидное. В глуши Калифорнии, в забегаловке, стоящей посреди пустыни, где только песок, ящерицы, коршун в синем небе и безымянный крест на безымянной могиле какого-то павшего, не дошедшего до океана переселенца, — в сортире этой забегаловки висел сушитель для рук в формате выдергиваемого из аппарата рывками полотенца. На аппарате была надпись: *Don't insert your head into the towel's loop* — Не суй голову в петлю полотенца.

На стаканчике тоже была надпись: «Этот кофе горячий и может вас обжечь», но суд решил, что недостаточно крупная! Короче, в 1994 году — когда вынесли приговор — шел разговор о том, чтобы температуру кофе понизить. Источники пишут, что ее, однако, вовсе и не понизили, а кое-где и повысили до 90 градусов — о, какие дерзкие! Но мой опыт свидетельствует о другом, и я об этом расскажу, прежде чем распрощаюсь с Макдональдсом окончательно.

Часть вторая

Я в Макдональдсе была дважды: первый раз меня туда пригласил один продвинутый и всегда голосовавший за демократов калифорнийский продюсер, желавший приобщить меня, только что вышедшую на четвереньках из сибирских лесов наивную крошку, к вершинам свободы, толерантности и других западных ценностей. План его состоял из нескольких пунктов, первый был — посещение протестантской церкви для, как потом выяснилось, вставших на путь исправления чернокожих проституток, не все из которых полностью вылечились от своих венерических заболеваний и СПИДа. В церкви была сцена, как в сельском клубе, и зал на сто посадочных мест, — простые скамьи, не мешавшие непрошеным объятиям. На сцену выбежали толстые перевоспитавшиеся и стали приплясывать, хлопать в ладоши и петь какие-то частушки про Джизуса; мы же, сидевшие в зале на скамьях, должны были взяться за руки, друзья, чтоб не пропасть поодиночке, и раскачиваться из стороны в сторону, подпевая.

Продюсер, выйдя из этого сарая, сказал, что он даже вот просветлел и повеселел духом после такого дружеского раскачивания, хотя сам он, конечно, ни в какого Джизуса и не верит, но вот чернокожий народ очень уж хороший. Вторым же пунктом он меня сейчас отведет в истинно народный ресторан, так и сказал — ресторан; и отвел, и это был Макдональдс.

Я не буду комментировать, клавиатуру расшатывать, но с этого дня я дала себе клятву и зарок: никогда, никогда не переступать порога этой забегаловки, кроме как по жизненным показаниям. (Когда я даю себе зароки, я всегда в договоре с Судьбой прописываю отдельным пунктом форс-мажорные обстоятельства.) В Бургер Кинг зайду, если припрет, в Сбарро унылое, но вот в Макдональдс — нет.

И вот прошло время, и я стала жить в Америке, и работала я в колледже, который находился на расстоянии 250 миль от моего, за 150 тысяч купленного, домика. И настал и прошел декабрь, и я провела последнее занятие, и, приплясывая от счастья освобождения, покидала все свои манатки в свою старую, ржавую машину, которую я собиралась завтра же выбросить, чтобы купить новую. Покупала я ее уже старой, и она за годы дошла до такого состояния, что сквозь проржавевшее днище видно было мелькавшее шоссе. Последний рейс — и на свалку, — сказала я ей. Села, помахала рукой елям в снегу, желтому северному закату, нарядному маленькому городку, где расположился мой колледж, включила зажигание — и кряк, что-то сломалось. Через минуту стало понятно, что́ именно: лопнула система обогревания, и вышел ей кирдык. Я заехала на авторемонтную станцию, где мне с удовольствием подтвердили: да, все безнадежно.

Ну, не сдавать же в ремонт машину на выброс? Я решила: а доеду! Доеду до дома! *"Damn the torpedoes, full speed ahead!"* — «К черту торпеды и полный вперед!» — как сказал мой любимый адмирал Фаррагут. 250 миль — это у нас что? Это у нас 400 километров. Ну и что? Ну и что? Я надела под шубу второй свитер, варежки надела, а сапоги у меня и так были угги. Мороз был минус 25 градусов. Первые 50 миль ехать было даже прикольно.

На больших американских шоссе примерно каждые 50 миль стоят площадки для отдыха и передышки — заправиться бензином, поесть, погреться, купить детям очередного ненужного синтетического Микки-Мауса и «сникерс», а себе, не знаю, лотерейный билет, чупа-чупс и газету, чтобы узнать, как наши сыграли и какой вообще счет. К тому моменту, как я подъезжала к такой "*area*", машина моя уже была выстлана изнутри толстым слоем инея, покрывавшим и заднее стекло, и все боковые, и переднее, но в переднем я протаивала кружочек ладонью, чтобы видеть дорогу. То одной рукой протаивала, а другой рулила, то меняла руку. Если же проталинка зарастала, я скребла ее ногтями.

На остановке я шла к рукомойнику и держала там руки в теплой воде, чтобы вернуть им чувствительность. Потом я что-нибудь горячее ела и пила. Потом покупала еще стакан горячего, чтобы на ходу, в машине, паром протаивать свою маленькую оконную прорубь. С каждым разом это становилось все сложней, и суставы не хотели сгибаться и разгибаться, и сил и внутреннего тепла уже хватало не на 50 миль, а на 30, а небо в проталинке из желтого быстро стало синим, а потом черным, черным без звезд, и на дороге не было никаких фонарей, кроме моих фар. И когда я добиралась до зон отдыха, я дольше сидела там в тепле, и тупее глядела в стакан с пойлом, и мне вдруг хотелось хлеба и макарон, и я, не веря себе, покупала и ела хлеб и макароны, и они меня немножко грели.

Потом зоны отдыха кончились — я свернула с большого шоссе на маленькое, где грузовики не ходят, так и некого особенно обслуживать. А хочешь еды и бензина — сворачивай в населенный пункт, городок какой-нибудь. И вот где-то уже на последнем отрезке пути, когда мне понадобился последний стакан для последнего рывка, — а уже была ночь, уже всё позакрывали — я с отчаянием и раздражением увидела, что единственный огонек светится в ненавистном Макдональдсе, в который я поклялась же не входить! Но жизнь дороже клятвы, и пришло время форс-мажора.

В заведении работал унылый одинокий негр. «Два кофе», — сказала я. Он налил и подал мне два стакана. Я сунула в кофе ледяные свои пальцы. Кофе был еле-еле. «Нет, мне горячей, — сказала я. — Подогрейте». Негр сунул стаканы в микроволновку на несколько секунд и вернул их на прилавок. От них даже пар не шел. «Давайте еще подогрейте!» — настаивала я. Негр заколебался. Очевидно было, что каково бы ни было постановление суда относительно температуры пойла, собственное начальство этого негра сделало ему суровый втык: не вздумай подавать кофе горячим! Сам платить будешь, если что. Он еще несколько секунд подержал стаканы в печи. Я еще раз их отвергла. Мы стояли и смотрели друг на друга, он — черный, живой и теплый, я — ледяной истукан с температурой тела 35 с половиной. В его глазах была вековая тоска хлопковых плантаций Миссисипи: о Джизус, один белый толкает туда, другой белый толкает сюда… В моих глазах было вот это вот, которое мы видели в «Игре престолов» — голубое смертельное убийство; белые ходоки, что ли.

«Значит так, дружок, — сказала я. — Я знаю, что ваш сраный Макдональдс проиграл суд и теперь оттягивается на нас, простых замерзающих. Я знаю, что он не велит тебе разогревать кофе до горячей температуры. Но я еду в машине, которая представляет собой ледяной гроб на колесах. И я проехала в ней больше двухсот миль. И если я не напьюсь горячего и замерзну в машине, то

82

перед смертью я негнущимися пальцами напишу записку. Я напишу в ней: меня убил — как тебя зовут? Джонатан? — меня убил Джонатан из Макдональдса, что в городе Пекуаннок, штат Нью-Джерси. Я зажму ее в кулаке, и трупное окоченение не позволит вырвать ее у меня. Если ты...»

Джонатан проворно сунул стаканы в печь, вскипятил их до предела, и я ринулась в машину. Протопила новую дырку. И добралась.

А по-умному, надо было замерзнуть насмерть, посмертно засудить их всех на большую сумму и оставить детям с внуками большое наследство; жили бы в хороших каменных домах и вспоминали добром мать и бабушку; вот так вот рачительная хозяйка бы поступила! Но у нас же всё человеколюбие и прочие всякие глупости, вот и ходим нищими, с обмороженными руками и хроническим бронхитом.

Купить молока

Шла по воскресной ярмарке, продают разливное молоко. Я молока не пью, но ведь настоящее, разливное, не порошковое, надо купить. Купила полтора литра.

Принесла домой. Думаю: скиснет ведь нах. Вскипятила. Смотрю — не сворачивается. Значит, точно настоящее. Раз не сворачивается, значит, из него можно сделать крем! Сделала крем. Крем я не ем.

Кто же будет есть крем просто так. Крем надо положить в эклеры. Эклерам нужны яйца. Яиц нет. Сбегала назад на рынок, купила яиц. Испекла эклеры, наполнила кремом. Эклеры я не ем.

Кто-то должен их есть! Вызвала внучку. Внучка пришла, но она, как выяснилось, сладкого не ест, а только всякое мясо и овощи. Быстро сбегала на рынок, купила еду для внучки, приготовила, устала, сил нет.

А эклеры стоят несъеденными. Вызвала племянника. Племянник пришел со своим компьютером: сессия, надо готовиться, сам худой, ужас, ребенку нужно есть; супу наварила, чахохбили на скорую руку, сырников наваляла, салатов всяких овощных, живи у меня вон на том диване, холодильник забит эклсрами и завтра, видимо, напеку еще.

Такая моя жизнь. А всего-то молочка купила.

Переводные картинки

Я начала читать с трехлетнего возраста, то есть так мне говорили родители, а сама я этого, конечно, не помню[1]. Читала все подряд. Иностранным языкам меня начали обучать с пятилетнего возраста — сначала английскому, потом французскому, а после, безуспешно, — немецкому. Мои родители говорили свободно на трех иностранных языках и считали, что и дети (а нас было семеро) тоже должны. Дети же так не считали.

Но от родительского принуждения деваться было некуда. Зимний вечер, темнота, только мы с сестрой наладились играть в куклы (у нас был двухэтажный кукольный домик, с настоящими крошечными электрическими лампочками, с маленькой ванной и уборной, с балкончиком, — чудное сооружение, привезенное кем-то из Германии после войны и доставшееся нам

---

[1] Журнал «ИЛ» попросил ответить на вопросы анкеты на тему: какую роль играла иностранная литература в вашей жизни.

в поломанном, но все еще рабочем виде), — как вдруг звонок в дверь; сердце падает; из прихожей тянет холодом: пришла учительница французского, не заболела ни сапом, ни чумой, благополучно добралась. Вечер испорчен. Спряжения французских глаголов — ненавистную языковую алгебру — помню до сих пор. Примеры из Альфонса Доде, а потом чтение самого Альфонса вызывали удушье. Младшая сестра, быстрая на руку, язвительная, писала на француженку эпиграммы-акростихи:

> Шуршит пальто ее в передней.
> Вошла, с морщинистым лицом.
> Ее эспри, скорее средний,
> Для нас считают образцом.
> Ее дыханье неприятно.
> Рука ее клешне подобна.
> Сидеть с ней, право, неудобно:
> Как безобразна, как отвратна!
> А! Что над рифмами корпеть, —
> Я не могу ее терпеть!

Стихи преподносились родителям, родители хохотали и просили еще: они поощряли все науки, все искусства, любое творчество и фантазию. Английский язык давался легче, а может быть, учительницы были нам милей, но «Алису в стране чудес», адаптированное издание, я терпела. «Матушку-гусыню» читали по-английски, хорошо помню свои чувства: зачем же на иностранном языке, когда по-русски можно лучше, ловчее, понятнее. Даже сами очертания латиницы мне не нравились: нарочно придумано, чтобы мучить человека. Мой отец, видя мое сопротивление и беспросветную лень, придумал заниматься со мной самостоятельно: час в день, летом ли, зимой ли, я должна была читать вслух под его руководством английскую либо французскую книжку. Это был замечательный ход: я должна была читать Агату Кристи (на обоих языках, чередуя их). Он совершенно справедливо рассудил, что если все остальные стимулы и призывы к общей культуре, образованности и расширению горизонтов не действуют, то должно же подействовать примитивное любопытство: кто убил-то? Так я прочитала около 80 романов Агаты Кристи, к большому маминому неудовольствию, — она считала, что читать надо Шекспира и всякое такое. Когда я закончила первую дюжину «агатников» — к двенадцатилетнему возрасту, — отец подарил мне наручные часики. В том смысле, что на них тоже двенадцать цифр, и так далее. Я через две недели потеряла их в дачном черничнике и горько рыдала, ползая в кустах до темноты, но так и не нашла. Часы потеряла, но время, как выяснилось, нет.

Так меня мучали с пятилетнего возраста и до поступления в университет. Я читала всегда — за едой, в постели, в автобусе, — но порусски — с удовольствием, а на иностранных языках — с отвращением. В результате для меня зарубежная литература — это то, что написано латиницей, а русская — то, что написано кириллицей. Русскими книжками были в разное время: О. Генри, Эдгар По, Дюма (в первую очередь «Граф Монте-Кристо»), Марк Твен, Жюль Верн, Конан Дойль, Уилки Коллинз («Лунный камень»), Герберт Уэллс, Мери Мейп Додж («Серебряные коньки»), «Голубая цапля», «Маленький лорд Фаунтлерой», «Хитопадеша» (индийские легенды), «Приключения Гулливера» (сокращенные, там, где он на обложке тянет за собой корабли на нитках), «Маленький оборвыш»; весь — от и до — Андерсен с лучшими на свете картинками Свешникова (вот помню!), сказки Топелиуса, сказки Кристиана Пино, сказки Шарля Перро, сказки братьев Гримм, сказки Гауфа, туркменские сказки (какие-то три козленка: Алюль, Булюль и Хиштаки Саританур, на обложке — красавица и красавец в обнимку с гранатовым Деревом), осетинские мифы («Сослан-богатырь, его друзья и враги», там про какое-то страшное живое колесо, которое отрезало Сослану ноги), японские сказки, написанные на смешном деревенском, нянькином языке («пригорюнился заяц, а делать нечего»; «глядь — а это Момомото явился») … Самой же любимой книгой были «Мифы Древней Греции» Н.А.Куна: в свои пять лет я знала генеалогию всех олимпийских богов, всех героев и всех достойных упоминания смертных. Я и сейчас думаю, что это лучшая книга на свете, в ней есть все: и ручьи, и моря, и корабли, и битвы, и колесницы, и плющ, и мирт, и лавр, и ласточки, и лабиринт, и зубы дракона, и страсти, и слезы, и коварство, и любовь, и мужество, а главное — весь мир шелестит богами и наполнен их незримым, но несомненным присутствием. Все это — русское, а всякие там "*has been doing*" и "*had had*", а уж тем более "*nous passâmes sous un pont, puis sous un autre*" — конечно же, нет.

Потом, позже — Бальзак, Золя, Мопассан, Вальтер Скотт, Сигрид Унсет («Кристин, дочь Лавранса»; кого ни спросишь — никто не читал, а ведь нобелевская лауреатка), Ромен Роллан, Диккенс, Хемингуэй, Оскар Уайльд, Сомерсет Моэм, Олдос Хаксли. И опять то же самое: «Евгению Гранде» Бальзака меня заставляли читать по-французски, и эту книгу я не буду перечитывать под ружейными выстрелами, хотя «русского» Бальзака я читала с удовольствием. Правда, ничего не запомнила. Бальзак почему-то стоял на полках каждого дома, куда мы ходили в гости, темнел огромным собранием сочинений; обложка у него была зеленая. Моя подруга в свои пятнадцать-шестнадцать лет прочитала Бальзака раньше нас (мы с сестрой были на четыре-пять лет ее младше) и пропиталась его сюжетами и реалиями, а также переводным бальзаковским словарем. Она была сочинительница и любила рассказывать нам придуманные ею самой романтические повести из французской жизни, как Шахерезада: понемножку, оставляя самое интересное на завтра. Летом мы забирались в черничник и собирали ягоды с кустов в бидон, ползая на коленках по колкой от сосновых иголок земле, а она рассказывала, вдохновенно завираясь: «Он распечатал надушенное письмо и побледнел. "Я разорен! — вскричал Гастон. — Все кончено!"» Назавтра Гастон снова был богат и ездил в кабриолете, смертельно бледный под широкополой шляпой. «Но как же он выкрутился?» — спрашивали мы. — «Очень просто — он перезаложил векселя».

Гастоны, грапатовые деревья, кабриолеты, кринолины, лондонский туман, снега Килиманджаро, живое колесо Сослана и колеса чеховских извозчиков были равно экзотическими, равно волнующими, и никакой разницы между русским и иностранным не было. Книги делились на интересные и неинтересные, и прошло много времени, прежде чем теплившаяся на краю сознания мысль о переводной литературе обрела какую-то плоть. Тот же Золя: написал много, но про бордели и кокоток ведь читать интереснее, чем про шахты и закопченных шахтеров, если только вы не Зигмунд Фрейд, которому про шахты должно быть тоже очень интересно. Кстати, о Фрейде (и Юнге, и Вейнингере, и других, чьи имена забылись) — всех их я прочла в 15-летнем возрасте: у отца была прекрасная библиотека, много десятилетий им собиравшаяся. Фрейд и Юнг (ранний) существовали в виде брошюр на желтой бумаге, в виде кожаных, с золотым тиснением томов: какие-то студентки дореволюционных курсов худо-бедно перевели их на русский язык (впрочем, современные переводы хуже и бедней). «Толкование сновидений» было в тысячу раз увлекательнее Виктора Гюго, поэтому Гюго был иностранным, а Фрейд — русским писателем. Когда же навалилась школа, пытаясь накрыть нас с головой ватным матрасом советской и одобренно-революционной литературы, — белоглазый Фадеев, подслеповатый Чернышевский, слепой железнодорожный Н.Островский и тихо поднятые щукари, — к тому времени я уже наловчилась быстро схватывать содержание непрочитанного и ловко излагать незапомнившееся, чтобы скорее отделаться, так что Бог миловал, это облако пыли прошло мимо, почти не задев. Впрочем, из «Что делать?» помню, что герой «надел пальто и постучался в спальню к жене», что поразило: герои Мопассана в аналогичной ситуации всё с себя «торопливо срывали». Кто после этого иностранец.

Мой дед, Михаил Леонидович Лозинский, был великим переводчиком, свободно владел шестью языками и перевел на русский, помимо всего бесконечного прочего, «Гамлета» и «Божественную комедию». Я не помню его: он умер, когда мне было четыре года, — горькое горе моей жизни. Но в нашем доме он был как бы жив, о нем говорили каждый днь, так что он почти садился с нами за стол или, бесшумно отодвинув стул, вставал и уходил в кабинет — работать — незримой тенью. Говорили, что работал он всегда, весь день, несмотря на адские головные боли, мучавшие его много лет, а в перерывах, для отдыха, как вспоминают старшие, читал письма Флобера, — естественно, по-французски. Вот такие титаны жили на земле в древности. Мой отец, обожавший своего тестя Лозинского, читал нам вслух его переводы, иногда со слезами на глазах («слезы — лучшая награда певцу», — говорит соловей у Андерсена), часто повторяя одну и ту же строку дважды, и трижды, и многажды: тогда в первый раз ты слышишь смысл, во второй — звук, в третий — начинаешь видеть бронзовый блеск слов, твердые их очертания.

«Я только дыыыыыыышло этой
                фуууууууууууры,
      Я только теееееееень его
                фигуууууууууууууры», —

это воскресным утром отец ходит по квартире в веселом настроении, размахивая рукой с вечной сигаретой, на лице — райский восторг от звуков, и звона, и ритма, и гула, и всего того, что под словом, за словом, всего того, — топот, шелест, свет и блеск, — что сопровождает слово, празднично выезжающее на парад на колеснице.

Но слова известны мне, и понятны, и возлюблены мною только русские, переведенные, процеженные сквозь, перевернувшиеся, превращенные. Мой дед Лозинский — в моем детском и подростковом Понимании — превращал мутную жесть Иностранных языков в прозрачное золото Русской речи. Писатели писали что-то там свое комковатое, — а он выпрямлял и разглаживал; они тыркались об стену, не находя дверей, — а он распахивал ворота; они водили руками в тумане, — а он брал их за руку и выводил на свет. Слово — это смысл, это внутренний луч; но какой же смысл, помилуйте, можно отыскать в иностранном, невнятном, темном слове?..

Как-то раз мне попались в руки две книги Корнея Чуковского: «Живой как жизнь» — о русском языке, и «Высокое искусство» — о переводе. Книги гениальные — изрытые оспинами цензуры и самоцензуры, уклончивые, хитрые, недоговаривающие, через положенное число страниц расшаркивающиеся перед издателями-идиотами, перед публикой, занесшей гневное перо для доноса, — и, несмотря на все расставленные на пути рогатки, проволоки и прочие тернии — гениальные. Сейчас, «земную жизнь пройдя до половины», я благодарна ему бесконечно за то, что

94

он, как никто, научил меня видеть и слышать слово. Сам он владел им виртуозно, и только по всеобщему несправедливому недосмотру недооценен как мастер, и вспоминается в первую очередь как «любитель детей» и автор «откуда — от верблюда». Впрочем, недаром же он в другой своей ипостаси — пленительный детский писатель, и первым, в компании трагического Колобка и таинственной Курочки Рябы, встречает русского ребенка на пороге здешней речи. Я сильно чувствую, — во всяком случае, по себе, — что дети — это взрослые, лишенные языка, взрослые с полноценной душой и полноценными чувствами, вынужденные вслепую и втемную, как после ранения в голову или приступа амнезии, заново находить, нащупывать, восстанавливать отнятый, недоданный, забытый язык.

Книги Чуковского меня устыдили и поразили. Помимо понятного мне, любимого и пластичного, казалось бы, знакомого русского языка и того, что на нем сочинено и написано, передо мной открылись необозримые пространства других языков, тоже кем-то любимых, тоже гибких и сверкающих — от финского до киргизского, — и на всех этих наречиях люди пели, плакали, думали и объяснялись друг другу в сложных чувствах, писали сложные и прекрасные стихи, стучались в двери с мыслью, родившейся в чужеземном мозгу, на иностранном языке — невероятно! Банальное открытие, но оно меня поразило. Вдруг стало стыдно своего невежества, лени, неуважения к «немцам» — всем тем, кто не разговаривает ясно и красиво. Вдруг стало понятно и то, что прекрасные книги, столь любимые мною, кто-то сочинил на своем невнятном для меня, темно бормочущем языке, а некто другой приклонил ухо, разобрал, понял и взял на себя тяжкий труд донести это до меня, перевести, переосмыслить, подобрать слова, сравнить, взвесить, чем-то пожертвовать, устроить и организовать, накрыть пиршественный стол, чтобы самому скромно уйти в тень примечания, отойти в сторонку, слиться с толпой.

Мне открылась вдруг сполна тяжесть каторжного труда переводчика, подвиг его, ничем практически не вознаграждаемый, мало кем ценимый, потаенный. Подобно Адаму, он вынужден вновь и вновь давать имена вещам, предметам, понятиям чужого, тайно и буйно цветущего за оградой сада. Но сад меняется, отцветает, опадает, зарастает и глохнет, ускользает, превращается, преображается, отплывает кораблем от причала и растворяется в тумане, с нами же остаются лишь смутные очертания парусов да скрип снастей.

А не то, оборванный и исхудалый, переводчик возвращается к нам с мутноватыми отпечатками, — фотографиями чужеземных краев, с чемоданом, полным помятых сувениров. Он извлекает из карманов слипшиеся сухофрукты и клянется, божится, что это и есть плоды райского сада; разглаживает на колене мятые бумажки: вот истинные карты Эдема. Что мне с этим делать? Да и правда ли он был там, верить ли ему? А где же ветер чужих морей, где мокрый снег, облепивший силуэты северных стрельчатых колоколен, где тени от качающихся фонарей, где запах камня? Пошел вон, ты ничего не понял, ничего не привез! Оглядываясь назад, на гору прочитанной и забракованной мною иностранной литературы, я с горечью и сожалением осознаю, сколько прекрасных писателей, сколько чудных голосов загубили для меня тупые, косноязычные толмачи, криворукие и торопливые халтурщики. Равнодушные к русскому языку, рабы иностранных синтаксисов, они словно бы никогда не брали в руки ни Тургенева, ни Гоголя, ни Бунина, ни Лескова. Больше всего, кажется, пострадали наиболее востребованные литературы: английская и французская. Жесткий порядок слов в английском, неощутимый, естественно, в оригинале, превращается в переводе на русский в прокрустово ложе, а Прокруст, как известно, не только обрубал ноги слишком долговязым жертвам своего гостеприимства, как о нем обычно думают, но и растягивал низкорослых, соединив в своей остроумной кроватке и плаху, и дыбу. Все эти «я положил мою руку в мой карман» и «раньше я ее видел, но теперь я не вижу ее» в переводах с английского, все эти «что до меня, то я…» и «моя шляпа, я нашел ее тесной» в переводах с французского, и вечное «не так ли?» в переводах с любого иностранного, подхваченное в конце XVIII века у бежавших от Французской революции парикмахеров, выдававших себя за аристократов.

«Голос баронета вибрировал, и все его члены дрожали как в лихорадке», «О, мой Бог! — вскричала молодая женщина, дико озираясь и вращая глазами», — таков образ расхожей зарубежной литературы XIX века, оставшийся с детства в моей памяти, и прошло много лет, прежде чем я осознала, что иностранные писатели ничего подобного не писали, герои их ничем не вращали и не вибрировали, «ландшафты» не расстилались и, вообще, все было совсем не так, как наврали переводчики. Но в детстве мы всеядны, проглотим и «ландшафты», и «ее мраморное лицо статуи в черной рамке кудрей», хотя впечатлительному воображению отделаться от «статуи в рамке» не так-то просто, и все время хочется рамку отодрать.

Зато какое блаженство, когда перо неравнодушного переводчика набрасывает для вас пейзажи живые и дышащие, когда герои, избавившись от паркинсонизма и хронического лупоглазия, плачут, смеются и разговаривают, как нормальные люди, и гравий правильно шуршит под колесами, и вьюнок цветет, и какие-то чепчики мелькают в окошке! Из поздних открытий — упоительный перевод Пу Сунлина, сделанный гениальным китаистом Василием Алексеевым («Рассказы Ляо Чжая о чудесах»). Вот где каторжный труд — переводы с китайского! Недопереведешь — ничего не будет понятно читателю; перепереведешь — китайцы превратятся в среднеевропейских иностранцев. Академик Алексеев нашел какой-то особый способ выбора и соединения русских слов, создав особый русский язык, с другой, так сказать, кристаллической решеткой. Состав вещества остался прежним, но приобрел новые свойства. Читаешь — и создается иллюзия, что читаешь по-китайски (не зная ни одного слова), что ты — в Китае, где «все жители — китайцы, и даже сам император — китаец», как писал Андерсен. Более того, еще немного — и сам китайцем станешь. Вообще же, средневековая китайская литература, когда она попадала мне в руки, всегда меня завораживала отсутствием точек пересечения с европейской нашей, привычной словесностью. Мнится, что читаешь про Фому, ан нет — про Ерему. Мне было лет десять, когда мне в руки попался номер «Иностранной литературы» за 1955, кажется, год. (Нам ничего читать не запрещали, единственную книжку, которую родители спрятали в чулан, — непристойные турецкие сказки «для взрослых», с ненормально пристальной фиксацией этого народа на фекально-вагинальном дискурсе, — мы с сестрой все же нашли, и очень веселились, и после уж турецкой литературой никогда не интересовались.) В «ИЛ» была напечатана увлекательная китайская повесть, XIV, что ли, века, с любовной тематикой. Герой, молодой красавец, полюбил молодую, и тоже прекрасную, гетеру, а страстное чувство вспыхнуло при следующих обстоятельствах: молодые люди, прежде чем приступить к любовным утехам, пьянствовали в публичном доме (выпили несколько чайников теплого вина). Шепот, робкое дыханье, трели Со Ло-вья. И вот красавице стало плохо, и она начала блевать. Молодой человек почтительно подставил девушке свой шелковый рукав, расшитый фениксами, и она наблевала ему в рукав. После чего отключилась, а он сидел до утра и стерег ее сон, — с полным рукавом, естественно. Утром она проснулась и горячо благодарила кавалера за галантность, он же горячо благодарил ее за то, что удостоился, — и так далее. Так вино сближает сердца. Очень понравилось. Еще была замечательная книга — «Троецарствие», любимая, говорят, книга всех китайцев, их «Война и мир». На европейский вкус прелесть ее в том, что ее можно раскрыть в любом месте, — на любой странице описывается все то же самое. (Тут смутно вспоминается Борхес.) Но есть и подробности, так, некий генерал возвращается домой и сообщает жене, что все кончено: он проиграл битву, и теперь будут казнены он сам, она, вся их многочисленная семья, чада и домочадцы, а также дальняя родня, слуги и однофамильцы. Реакция жены такова: «"Так о чем же тут долго рассуждать?!" — с возмущением вскричала она и разбила себе голову о потолочный столб». Так же прекрасна и средневековая японская литература. «Рассказы у изголовья» Сей Сенагон — моя настольная книга. Я отдаю себе отчет, что японец читает ее другими глазами, но тут уж ничего не поделаешь.

Совсем другое дело — помянутый не всуе Борхес, которого мне все равно, на каком языке читать. Говорят, что у него прекрасный испанский язык; верю; но испанского не знаю. На русском же и на английском для меня возникает одинаковый эффект, может быть, потому, что Борхес одинаково хорошо переведен на оба языка, а может быть, по другой причине. Он пишет коротко, сжато и точно, — хочется сказать, эргономично, — а в результате получается изумительно красивая ментальная конструкция, которая трансцендирует слово. Для меня это тот редкий случай, когда содержание и структура текста заставляют едва ли не забыть о тех словах, с помощью которых достигается эффект. Борхес нужен мне постоянно, я все время его перечитываю и таскаю за собой по всем странам и континентам, чтобы море человеческой глупости, прагматичности, сиюминутности, кое-какности и спустярукавашности не захлестнуло меня. Когда я преподавала в Америке курс литературы (это было что-то вроде «всемирной литературы», то есть столько лучших текстов, сколько можно было вместить в три с половиной месяца, или 26 занятий), Борхес одновременно был для меня и спасательным кругом в волнах американского студенческого менталитета, и пробным камнем. (Можно ли быть и кругом, и камнем одновременно? — вопрос тоже вполне борхесовский. Можно.) Чистое умственное усилие, которое необходимо сделать, чтобы прочесть, усвоить и осмысленно пересказать кратчайший рассказ Борхеса, не смог произвести за шесть лет ни один из 330 студентов, с которыми мне пришлось иметь дело, а ведь среди них были и умные, и способные. В чем тут дело, почему именно Борхес не дается американским молодым людям (возраст — от 18 до 22 лет) — разговор особый. Рассказ «Алеф», такой кристально ясный, такой стройный, такой остроумный и глубокий, подарок для ума, — нет, ни в какую не читается. Про что рассказ? — неделя на размышление. «Ну вот это, ну он ходит в гости к этому, забыл имя». — «Кто ходит?» —

«Не знаю. Я не понял». — «От чьего лица написан рассказ?» — «От лица?..» — недоумение. — «Как рассказ написан, от первого лица или от третьего, кто рассказчик?» — «Я не знаю». — «А зачем "он" ходит?» — «Зачем? Я не знаю. Там не сказано… А! Он торт принес!» — «Он приходит, чтобы съесть торт?» — «Нет… Ну да, там эта женщина умерла, забыл имя, и он ходит». — «Может быть, он ходит из-за этой женщины?» — «Но она же умерла, чего ходить…» — «Если умерла, то и ходить незачем?» — «Да!!! — Студента внезапно прорывает. — Мне не понравилось. Не понравился рассказ. Зачем он ходит, когда она умерла? Он должен жить своей жизнью. Должен смотреть вперед. А он смотрит назад. Это негативно. Ничему меня не учит. Мне это не нравится. Вот. Я поэтому не стал запоминать. Я такое обычно не читаю».

У нас дома была замечательная американская детская энциклопедия двадцатых годов, называлась *Book of Knowledge*, томов двадцать. Плотная пожелтевшая бумага, черно-белые картинки, каждая страница в прихотливой рамке: модерн. Картинки там были прелестные: американские хорошенькие детки, в шляпках и кушачках с бантами, сидели на лавочке, разглядывая научные книжки, кормили стерильно-чистых курочек и незасранных овечек, смотрели в микроскоп, помогали мамочке (или прислуге?) накрывать на стол в просторных, чистых кухнях, — небывалое зрелище. В городах ввысь тянулись небоскребы, по улицам бегали деловитые господа в котелках, из автомобилей выглядывали дамы умопомрачительной, сдержанной элегантности. А лучше всего был паровоз, мчавшийся среди высоких елей в таких оглушительно непролазных сугробах, что пришлось приделать к нему особый снегоотбрасыватель, из-под которого снег летел, как две стены, на обе стороны. Техника сама по себе меня никогда не завораживала, но вот эта первозданная природа, сквозь которую не всякий паровоз пропашет, этот снег, эти ели, эти чистые дома и воспитанные детки, — без соплей, матерщины и свинства, — поразили на всю жизнь, создали ложный образ Америки (которую они потеряли), — умненькой, черно-белой, занесенной снегом. Эх, ребята, все не так, все не так, ребята... К тому времени, когда я туда попала, почти все железные дороги уже были разобраны, и только иногда в маленьких пенсильванских городках или же в Новой Англии видишь старые рельсы, заросшие ностальгической травой. А все детки, и все дамы, да и все господа одеты в униформу: штаны мешком, футболка мешком, бейсбольная кепочка задом наперед. Уж не говорю про Микки-Мауса. Ивлин Во всё сказал («Незабвенная»). Может быть, той Америки, которая мне так нравилась в детстве, никогда не существовало, но в американской литературе я ищу ее следы. Слабое дуновение той придуманной первозданности слышится мне в рассказах Юдоры Уэлти (если она сегодня жива, то совсем уже старушка), но это — Юг, а мне бы Севера. Фланнери О'Коннор — гениальная писательница, тоже Юг. Сэлинджер, увы, больше не пишет, заперся в доме и, кажется, сошел с ума, какая жалость. Из старых писателей замечателен Мелвилл, которого сами американцы долго не ценили, а теперь обнаружили, что проспали гения. «Моби Дик» — одна из вершин мировой литературы. О. Генри тоже гений, но американцы об этом не знают. Им кажется, что слишком простенько. Ну, спите дальше, дорогие товарищи. Читайте своего Апдайка, который хорош только на растопку.

В общем и целом, жизнь моя сложилась так, что знание иностранных языков отбило у меня охоту к чтению иностранной литературы. Это не парадокс, а следствие всего того, о чем я сейчас только что сказала: когда видишь убогие, сляпанные на скорую руку переводы, дощатый забор, сквозь который слишком явственно просвечивает стройное, недоступное здание оригинала, то возмущаешься переводчиком, оскорбляешься и за русский, и за английский-французский, с которого переводили. Думаешь: не буду тратить время на это безобразие, прочту в оригинале. А когда берешь в руки оригинал, то, если он достаточно изысканно написан, часто не хватает знания того же английского-французского. Ведь языки эти бездонны, как и всякий язык, и перед их словесной пучиной чувствуешь себя утлой лодочкой. Я читала в оригинале Сэлинджера, О. Генри, Хемингуэя, Мопассана: на вкус они совсем не таковы, как в переводе, хотя переводы хороши. Читала еще три-четыре десятка писателей. Но много ли прочтешь, глубоко ли проникнешь, если, конечно, не скользить глазами по строчкам в нетерпении узнать, что будет дальше; я и так знаю, что будет дальше. Не «про что», а «как», а точнее, «как про то, что» — все же было и остается основным удовольствием и смыслом словесного искусства. Американский английский полегче, если не считать обильного, модного, все время обновляющегося сленга, совершенно для меня недоступного, а вот британский английский, с его емкими кратчайшими словами, труден. Мне сейчас жаль, что я, ленивая и нелюбопытная, бессмысленная и беспощадная, упустила время в юности, поздно спохватилась и не усвоила того, что мне так щедро, четырьмя руками преподносилось, того, что казалось неисчерпаемым. Рог изобилия пуст, деда нет, отца нет, и некому стоять укоризненным Командором за моей спиной, некому смотреть на меня поверх очков с комическим гневом по поводу невыученного урока. Я только дышло этой фуры, я только тень его фигуры... Дай Бог успеть хоть русский освоить.

Оттого, что я долго делила литературу не на русскую и иностранную, а на интересную и неинтересную, мне нужно и сейчас делать некоторое усилие, чтобы сообразить, какие авторы — иностранные. Ведь когда — как в детстве — читаешь все подряд, то в голову не приходит поинтересоваться национальной принадлежностью автора. Так, я читала в свое время англичанина А.Кронина, уверенная в том, что это — русский писатель, какой-нибудь Анатолий Иваныч. Его герои носят иностранные имена, но это еще ни о чем не говорит. «Война и мир» тоже ведь начинается с нескольких страниц французского текста, а у нас дома стояло издание дореволюционное, с ятями, набранное каким-то волосатым неудобочитаемым шрифтом, и я долго избегала Льва Николаича, держа его за иностранца и зануду. С другой же стороны, если иностранное — это другое, это экзотика, это то, чего здесь нет, то иностранным можно было считать все несоветское, все непривычное, несегодняшнее. Был ли русским писателем Набоков, которого привозил, а вернее, провозил из-за границы мой отец — спрятав провозимое на животе, под брючным ремнем? «Брючная» литература стояла на особой полке, во втором ряду. Напечатан Набоков был, как и все «брючники», на очень белой бумаге, так что читать его в метро или в дачном поезде не рекомендовалось; ветераны труда любили заглянуть через плечо: что читаешь, сволочь очкастая? — а этого нам не надо. (Как вспомнишь все эти правила поведения, Боже правый! Белое в транспорте не читай, ксероксы не читай, иностранный журнал не читай, иностранную книгу почему-то — пожалуйста, только газеткой оберни.) Этот надменный холодок, витающий над каждой набоковской строчкой, эта интонация полной неподотчетности никому и ничему, этот привкус внутренней свободы, так естественно, природно ему давшейся, этот явственный коварный огонек во взгляде: ах, ты думал, что прочитал мою книгу и все понял? — подумай-ка еще раз… где спрятан зайчик? — а зайчик, как положено, висит вниз головой в кривоватой листве развесистого дерева над головами двух ни о чем не подозревающих удильщиков, и пока они выуживают никому, и им в том числе, не нужную рыбу из бумажной речки, над их панамками, в зените, сошедшая с ума фауна в сговоре с уступчивой флорой застыли в странном симбиозе… и фокус в том, что читатели, отвлекшиеся на поиски зайчика, радостно догадавшиеся о его местонахождении, не задаются вопросом: а как он, собственно, там оказался? а возможно ли зайчику быть в ветвях-то? — и проваливаются, к удовольствию писателя, в очередную расставленную им ловушку; таков Набоков; пятясь назад из этой далеко забравшейся фразы, кинем взгляд окрест: на вечерние берлинские огни, на тюльпаны обоев, опрокидывающие кирпичную стену в прозрачную степную даль, — та улица кончается в Китае, а та звезда над Волгою висит, — и спросим себя, какая это литература: русская, эмигрантская, иностранная? А то, что он писал на трех языках, а то, что «Лолита» написана сначала не для нас, а уж потом для нас, а то, что поздние его романы надо, чертыхаясь, переводить назад на русский! Причем и тут рассованы зайчики: в одном из этих романов, как говорила мне американская славистка (передаю с чужих слов, так что не помню, в каком именно), есть, например, фраза, имеющая мало смысла по-английски. Машинально, задумчиво славистка перевела ее на русский и увидела, что все слова в ней начинаются на букву «к»… (Так в одном старом английском фильме умирает Дядюшка-шутник, всю жизнь развлекавшийся тем, что устраивал родственникам *pranks* и *practical jokes*; в последний миг перед смертью он успевает поджечь зажигалкой уголок газеты, которую читает у его одра ни о чем не подозревающая сиделка. Через три секунды газета вспыхивает ярким пламенем, визг!!! — но дядюшка уже умер, довольный.) То, что Набоков не получил Нобелевскую премию, только лишний раз говорит о человеческой тупости и политической трусости Нобелевского комитета, хоть это и не новость; на Страшном Литературном суде то-то мук будет для них приготовлено! то-то скрежета зубовного! до скончания веков будут они читать бухгалтерские отчеты и передовицы провинциальных газет.

По существу, мне все равно, что читать: художественную литературу, мемуары, книги о путешествиях или труды по психиатрии и психологии: там тоже есть свои пригорки и ручейки. Одной из любимых книг в детстве были «Рассказы о врачах» (книжка потерялась, и автора я не помню). Там были чудные старинные гравюры: Амбруаз Паре, в шекспировском гофрированном воротнике, ручной пилой отпиливает ногу страдальцу в камзоле; слуга подносит больному кубок с вином, чтобы тот «забылся». Изобретатель хлороформа испытывает новое средство на себе и, впав в бесчувствие, чуть не умирает под марлевой маской; его спасает вбежавшая квартирная хозяйка, толстая, в чепцах и лентах, вся вихрь и тревога. Средневековые врачи, в плащах, со шпагами, ночью несут покойника, снятого с виселицы, в анатомический театр, чтобы вскрыть его во славу науки… Глава Британского королевского научного общества категорически отрицает кровообращение… Лежа в постели со свинкой или корью, я читала обо всем этом с понятным сердцебиением и мечтала стать медсестрой, — не врачом, а именно медсестрой, не чтобы самой, ужас какой, что-нибудь отпиливать, а, в лентах и чепцах, сострадательно склоняться над болящим, поднося ему двуручную чашу церковного кагора, или же позаимствованной из других книг мальвазии. Про медицину читать так же волнующе, как и про путешествия, да, собственно, это одно и то же. В том же детстве я было радостно схватила книгу под многообещающим названием «Чума», предвкушая верблюдов, пыльные и опустевшие азиатские города, ковры, чинары, воронье, белые чалмы, минареты и героических врачей, смело вступающих на ступеньки глинобитных домов, где притаилась невидимая зараза; но это оказался всего лишь зануда Камю.

А медицинские энциклопедии с медально-звучными тройчатками имен, прицепленными к каждому синдрому! А приложения на пластинках: «Голоса сумасшедших»! А «Учебник по психиатрии для средних медицинских заведений» с фотографиями, с подписями: «Больной З. прислушивается к голосам, требующим, чтобы он выпил бутылку портвейна»! Требующим! Кафка, где ты?.. Последние несколько лет я читаю книги Оливера Сакса, американского (а прежде английского) нейропсихолога (или психоневролога?), совершенно замечательного писателя

111

и нестандартно мыслящего врача. Одна из первых книг — «Человек, который принял свою жену за шляпу» ("*The Man who Mistook his Wife for a Hat*"). Другие его книги — "*Seeing Voices*", "*A Leg to Stand on*", "*Anthropologist on Mars*". Жанр — документальные медицинские новеллы и романы, повествующие о невероятных свойствах человеческого мозга, его фантастических (во всех смыслах) возможностях и способностях, которые проявляются не тогда, когда человек здоров, или, лучше сказать, находится в норме, но тогда, когда его психика отклоняется от нормы из-за ранения или болезни. Один из примеров, наверно, всем знаком по фильму "*The Rainman*" («Человек дождя»), где Дастин Хофман играет аутистического шизофреника с ненормальной памятью и странными математическими способностями: когда на пол падает коробок спичек, он может сразу же назвать их число. Это действительный случай, и Сакс описывает близнецов, обладавших теми же способностями. Другие странности напоминают рассказы фантастов: например, случай с итальянским художником, который, живя в Калифорнии, видит перед собой (глазами видит, а не воображает) родную деревню, из которой он уехал десятилетия назад, и воспроизводит ее в мельчайших деталях десятки раз подряд, при этом ничего другого он нарисовать не может. Похожий рассказ о видении на расстоянии есть у Уэллса. Некоторые случаи невозможно и вообразить: музыкант, художник (!) и педагог, пытающийся, уходя из гостей, надеть на голову вместо шляпы собственную жену, так как он не видит, не понимает разницы... Человек, испугавшийся собственной ноги и пытающийся оторвать ее от себя, как чужеродный предмет. Женщина, страдающая аутизмом, и поэтому не способная испытать никаких эмоций: она ищет в словаре определение слова «любовь», но все равно это чувство для нее загадочно: женщина эта строит для себя машину-обнималку: ложишься в нее, и машина стискивает тебя со всех сторон. Лишь тогда что-то слабо брезжит на горизонте ее чувств... А люди с синдромом Туретта, живущие с несмыслимой скоростью: они пляшут, дергаются, высовывают язык со скоростью хамелеона, ловящего муху, будто передразнивают окружающих, — десятки тиков в секунду! — тараторят, матерятся, и не могут ни на миг остановиться! А те, наоборот, кому надо несколько часов, чтобы донести руку с колен до носа, чтобы почесать его, а для них, в их сознании, проходит лишь одно мгновение! А кататоники с болезнью Паркинсона, которые не способны пошевелить ни ногой, ни рукой, так что если их поставить на гладкий пол, они могут простоять так сутками, в нелепой, искаженной позе, молча: язык их тоже скован. Но если подвести их к лестнице, или горке, и подтолкнуть, то они побегут как молодые, болтая и радостно смеясь. Все это — про людей, все это — правда. А последняя его книга, которую я прочитала, счастливо соединяет в себе медицину с путешествиями: Сакс описывает свою поездку на крошечный, как крупица соли, остров Понпей в Тихом океане: не на каждой карте он и обозначен. Там, в силу исторических обстоятельств, большая часть населения цветослепые (это не то же, что дальтоники). Когда-то, несколько веков назад, из-за страшных ураганов погибло почти все население острова, а вождь племени, от которого родилось новое многочисленное потомство, передал несчастным свой мутировавший ген цветослепоты. Люди эти не только не различают цвета, они плохо видят, не выносят солнечных лучей, днем вынуждены прятаться в хижинах. Из-за сильной близорукости дети не могут читать, плохо учатся в школе и считаются глуповатыми, хотя это и не так: обычные дети. Зато ночью наступает их час: в темноте они видят как кошки, плавают в море с открытыми глазами и ловят рыбу голыми руками. Сакс приехал на Понпей не только как любопытный исследователь. Изучив проблему, подготовившись, он привез простое лекарство: солнечные очки, сотни солнечных очков, но не обычных, а плотно прилегающих к лицу, не пропускающих ни лучика тропического солнца. Вообразите эту картину: сотни мгновенно прозревших детей, с радостными воплями разбежавшихся по всему острову! Но прекращаю дозволенные речи; книги эти надо переводить и печатать, а не пересказывать.

Из европейских писателей я люблю Исак Динезен (она же Карин Бликсен), знаменитую датчанку, баронессу, половину жизни прожившую в Африке, начавшую писать лет в пятьдесят, причем по-английски. Прекрасный писатель — англичанин Малькольм Бредбери. На короткое время понравился Пол Теру, а потом быстро-быстро разонравился: самодовольство и эгоизм перешибают любые достоинства этой прозы. Он пишет романы о путешествиях, это особый жанр, вроде «что я видел», но видел он в основном себя любимого, а остальной мир вызывает у него брезгливую скуку. Любит писать про то, как любая женщина, неважно где, — в Европе, в Африке, в Азии, — едва завидев его, кидается к нему в объятия и страстно его домогается: подай ей его вот прямо тут и сейчас. Ну какое-то время он снисходит к обезумевшей менаде, а потом смотрит — нет, чего-то не то: и сама не тянет, и семья у нее скучная: папа там, дядя. Пшла вон. А тут уж новая бежит, торопится, все с себя срывает. А па-а-азвольте вам не поверить. *Wishful thinking.* Отличный писатель — Исигуро, японец, пишет по-английски, потому что американец. Чудная американская негритянка — Зора Нил Херстон, ее переводить, должно быть, очень трудно, потому что она воспроизводит "*negro talk*" — особый говор, особые интонации, а у нас соответствия этому нет и быть не может. Кундера, на мой вкус, перехвален. Но вообще, как я уже говорила, иностранную литературу я знаю плохо: ведь это океан. Кроме того, есть писатели очень неровные: так, у Джойс Кэрол Оутс есть великолепные рассказы, но она пишет со скоростью пулемета, и написала массу плохих романов. Она, как говорят, рассчитывала получить Нобелевскую премию, но — «не числом, а уменьем», и премию дали ее чернокожей сопернице Тони Моррисон, которую я не стала читать, послушавшись Бродского, называвшего ее «уёбищем», и, может быть, напрасно: Бродский был на редкость прихотлив и несправедлив в оценках. Впрочем, претензии к ней у меня идеологические: она преподает литературу в Принстонском университете и учит студентов, что все белые писатели, а также носители белого английского языка находятся в заговоре против черной расы: нарочно вводят в свой поганый язык выражения вроде: «черная овца», «мрак» и так далее, намекая сами понимаете на что. Это может не помешать ей быть хорошей писательницей. Мои американские коллеги, профессора и писатели, чьим вкусам я доверяю, называют имена многих хороших современных писателей, которые мне ничего не говорят, писателей, которые, возможно, не пользуются большим массовым спросом, как раз потому, что хорошие. При этом, говорят они, первый, и скажем, третий романы Такого-то — великолепны, неплох и восьмой, а остальные ужасны. Надо сказать, мне это непривычно: у нас если писатель хороший и мы его полюбили, то мы склонны хвалить все, что он ни напишет (любовь, она такая), а уж если не полюбили — держись. У американской же интеллигенции есть хорошая привычка быть честными во вкусах и оценках, даже если это порой приводит к личной ссоре. А не всегда и приводит: там умеют отделять личность от плодов творчества. Это то, чему мне хотелось бы научиться.

О классиках XX века стоит ли говорить всуе? Кафку я обожаю, Пруста осилила, но перечитывать скучно, Джойса знаю плохо. Фолкнера — тоже. Сартр — не сошлись характерами. Гессе очень любила. Генриха Манна дома у нас не водилось, брала дважды в библиотеке, один раз была в восторге, второй раз — не могла прочитать двух страниц. Думала, что сошла с ума, ан нет, оказалось — переводы разные. Отсюда все та же мораль. Остальных пропустим, все не расскажешь.

Из древней литературы я люблю «Гильгамеша» (и вообще эпосы мне не скучны, даже «Калевала», правда, прочитанная в детстве, адаптированная до полной обструганности, мне нравилась), волнует меня и древнеегипетская литература, о качестве перевода которой, естественно, не смею иметь своего мнения, но на всю жизнь запомнился мрачный юмор, с которым древний египтянин описывал тяготы какой-то паршивой и опасной профессии: «и спокойно ему так, как спокойно кому-нибудь под крокодилом»; думаю, что и в наше время так сказать о себе может каждый, от парламентария до ларешника. Да и вообще, на мой вкус, чем древнее, тем интереснее: там, под густой пылью эонов, все такие же живые люди! Когда расшифровали кносские таблички (около XV века до Р.Х.), то прочли хозяйственную запись, образчик бухучета: «Плотник Тириэй не вышел на работу». Ох, знакомо. Потом, конечно, Геродот (самый любимый), Аристофан, Платон, Тацит, Теофраст (этот особенно), Диоген Лаэртий, Марциал, Катулл, Ювенал, Овидий, Гораций, — но поэты, опять-таки, сильно зависят от переводчика; хотя на русском им повезло. Вообще, о поэзии я не хочу говорить по той же причине. Знаю ли я Байрона? Я знаю Щепкину-Куперник. Шота Руставели? Знаю Заболоцкого. Хороший поэт. Из Ветхого Завета я больше всего люблю Книгу Экклезиаста,

118

из Нового — Апокалипсис (очевидное предпочтение).

А вопрос о том, что делать, «если завтра война, если завтра в потоп», — традиционный, но нечестный. Во-первых, если подходить к упаковке багажа с оглядкой на традицию, придется брать с собой семь пар нечистых, а это в условия задачи, кажется, не входит. Во-вторых, вопрос не учитывает, на какой срок рассчитан потоп — на сорок дней, что ли? Тогда разумно было бы взять отрывной календарь, сборник кроссвордов и колоду пасьянсных карт. В-третьих и самых простых, когда безвылазно сидишь в ковчеге, хочется прочитать что-то новое, а не перечитывать известное. В-четвертых, вопрос жесток: значит, эти книги я спасу, а остальные пусть потонут? У кого же рука поднимется? Кого сбрасывать с «корабля современности»? Вот есть у меня книга на языке коми, называется «Вояс пыр — би пыр». Чудесная. Вот строки из стихотворения «Порысь мам»:

Эз нештыв мовпсо письмö вылысь.
Од письмö воис ылысь-ылысь,
Кон Красной Армияын пи,
Кон выльон мунлис война би…

и далее:

Японской звермöм самурай,
Кыт порок тшыпыс веттіс гыон,
Сэн Петыр воклысь шуйга сой
Ён косьын бытшйöдлома шыон…

119

(Примечание: «Шы — пурт сяма японской штык»). Так как же: брать или не брать эту книгу с собой в ковчег? Да я ее первую, прижав к груди, внесу по трапу! В-пятых: ох, не сглазить бы, в наших нищих библиотеках и так то пожар, то потоп, то «тати подкопываются и крадут». В-шестых и последующих, и брошу счет, а то я сейчас запутаюсь, — неподъемный ужас этой задачи я уже переживала в том же колледже, где 330 здоровых американских коблов не могли осилить маленького, слепенького аргентинского старичка. Колледж там у нас, что называется, *liberal arts*, — держите меня, *liberal*, — и вот встала задача, каким образом, лавируя между Сциллой и Харибдой (Харибда в данном случае — политкорректность, и такая прожорливая, господа, что спутникам Одиссея и не снилось), — как вместить в четыре семестра «канон» западной литературы, который, ясное дело, и в десять семестров не вмещается. Нам-то тут в России хорошо, живем пока что без Харибды и не ценим, твари неблагодарные; берем Шекспира и читаем. А там проблема: «Отелло» включать или нет? Вроде бы он негр, так что реверанс сделан, но ведь убивец же? Дальше: «Илиаду» и «Одиссею» обязательно надо включить, но они такие длинные, займут весь семестр! Надо резать. «Я список кораблей прочел до середины...» Мандельштам прочел, а наши студенты не прочтут и о существовании списка не узнают. Немножко из первой песни, потом в серединочке почитают, потом в конце, — узнать, чем дело кончилось, пала ли Троя, или доплыл ли, скажем, Одиссей до дома, или съел его Полифем. Кусочек Еврипида в суп кинули. Новый Завет тоже нарезали на кусочки: основу взяли от Матфея, пунктиром, — получилось, что Христос быстренько зачался, родился, распялся и воскрес, с бешеной скоростью, мультфильм «Том и Джерри», — и еще немножечко от Иоанна добавили, для стилистического контраста и идеологической полноты. На Евангелиях я не выдержала и возопила: побойтесь сами знаете кого, книжечка-то тоненькая, можно за вечер осилить, хоть одно целиком оставьте, а лучше бы все четыре! «Что ты, — говорят печальные профессора, — не знаешь ты наших студентов? Не будут они четыре раза подряд читать одну и ту же историю». — «Но, может, они лучше запомнят, а то они не опознают ни одного евангельского сюжета, а вся европейская литература так или иначе ими пропитана». — «Да не то слово, это страшная проблема, мы сами мучаемся». — «А нельзя ли, — говорю, — сделать Новый Завет обязательным чтением, — потом все остальное быстрее усвоится?» — «Ха-ха, — говорят они, — в том-то и фокус, что это будет считаться религиозным принуждением, а это запрещено! Студенты имеют право отказываться от чтения любого текста под тем предлогом, что это оскорбляет их нравственность, или навязывает чуждые взгляды, или пропагандирует чужую веру». Так, по крошке, был составлен весь двухлетний канон. Печален был этот ковчег, но — «пригорюнился заяц, а делать нечего», таковы все ковчеги. Нет, не в моих силах выбирать и отсеивать: все в литературе, как ни поглядишь, цепляется одно за другое, и какую книгу ни возьми — и без нее канон не полный. А вот страстно хочется, чтобы появилась книга совершенно новая, бесконечно интересная, замечательно написанная, странная и ни на что не похожая, но для этого надо угадать, распознать, забрать с собой в ковчег и благополучно провезти через пенные пучины Писателя.

Любовь и море

Любовь и море

В чеховском рассказе «Дама с собачкой» есть загадочный пассаж.

«В Ореанде [они] сидели на скамье, недалеко от церкви, смотрели вниз на море и молчали. Ялта была едва видна сквозь утренний туман, на вершинах гор неподвижно стояли белые облака. Листва не шевелилась на деревьях, кричали цикады, и однообразный, глухой шум моря, доносившийся снизу, говорил о покое, о вечном сне, который ожидает нас. Так шумело внизу, когда еще тут не было ни Ялты, ни Ореанды, теперь шумит и будет шуметь так же равнодушно и глухо, когда нас не будет. И в этом постоянстве, в полном равнодушии к жизни и смерти каждого из нас кроется, быть может, залог нашего вечного спасения, непрерывного движения жизни на земле, непрерывного совершенства. Сидя рядом с молодой женщиной, которая на рассвете казалась такой красивой, успокоенный и очарованный в виду этой сказочной обстановки — моря, гор, облаков, широкого неба, Гуров думал о том, как, в сущности, если вдуматься, все прекрасно на этом свете, все, кроме того, что мы сами мыслим и делаем, когда забываем о высших целях бытия, о своем человеческом достоинстве».

Зачем Чехову в рассказе о любви, внезапно случившейся с людьми, которые ее никак не предвидели и не ожидали, понадобилось это отступление, поэтическое размышление о вечности, равнодушной к нашему существованию? И почему в этом равнодушии — залог спасения?

Конец отрывка, по-видимому, более прозрачен: природа прекрасна и гармонична, а мы — нет. В ней есть некая высшая цель, а мы ведем себя недостойно, безобразно. Гуров только что склонил к адюльтеру замужнюю, неопытную молодую женщину, которую он нисколько не любит и через несколько дней забудет навсегда. Это немножко нехорошо, но очень по-человечески. Он сам понимает это, но не очень расстраивается и будет продолжать вести себя точно так же и сегодня, и завтра, ибо ничего больше не умеет, ничего другого не знает. Когда через несколько дней он простится с Анной Сергеевной навсегда, когда он будет провожать ее на вокзале, он будет чувствовать так:

«Он был растроган, грустен и испытывал легкое раскаяние… Все время она называла его добрым, необыкновенным, возвышенным: очевид-

126

но, он казался ей не тем, чем был на самом деле, значит, невольно обманывал ее...»

Это понятно, это по-человечески, но почему все же залог спасения — в равнодушии моря, в равнодушии мертвой вечности?

Между тем Гуров сидит на скамейке, созерцая равнодушную красоту, и еще не подозревает о том, что с ним что-то случилось. А оно уже случилось.

Проходит месяц, и другой, и он осознает, что женщина, встреченная на юге, не отодвинулась в прошлое, не покрылась туманом, но неотступно с ним, в его жизни. «Анна Сергеевна не снилась ему, а шла за ним всюду, как тень, и следила за ним... Она по вечерам глядела на него из книжного шкапа, из камина, из угла, он слышал ее дыхание, ласковый шорох ее одежды».

И однажды он, задетый невинным замечанием приятеля, вдруг осознаёт, что весь мир, окружающий его, резко переменился:

«Эти слова, такие обычные, почему-то вдруг возмутили Гурова, показались ему унизительными, нечистыми. Какие дикие нравы, какие лица! Что за бестолковые ночи, какие неинтересные, незаметные дни! Неистовая игра в карты, обжорство, пьянство, постоянные разговоры все об одном отхватывают на свою долю лучшую часть времени, лучшие силы, и в конце концов остается какая-то куцая, бескрылая жизнь, какая-то чепуха, и уйти и бежать нельзя, точно сидишь в сумасшедшем доме или в арестантских ротах!»

Буквально только что, до своего отъезда на юг, Гуров принадлежал этой жизни в полной мере, сам много пил, ел, говорил, заводил романы с разными женщинами и получал удовольствие от полноценности своего существования. Так что на самом деле перемена происходит не в мире, но в нем самом. Он не хотел ее, не просил, не предполагал, но она уже случилась.

Когда и как это произошло? И что, собственно, произошло? «...О чем говорить? Разве он любил тогда? Разве было что-нибудь красивое, поэтическое, или поучительное, или просто интересное в его отношениях к Анне Сергеевне?..»

Гуров соблазнил Анну Сергеевну механически, привычно, как поступил бы с любой сколько-нибудь заинтересовавшей его женщиной. Он задумывает свой летний роман с ней, еще не зная ее имени. Просто «дама с собачкой». А могла бы быть «дама с сумочкой», «дама в шляпе», «дама с родинкой» — нечто безымянное, родовое, часть природы, с маленькой отличительной деталью, с украшением. Прекрасная дама как часть той самой природы, в которой «все прекрасно на этом свете, все, кроме того, что мы сами мыслим и делаем, когда забываем о высших целях бытия, о своем человеческом достоинстве».

«Соблазнительная мысль о скорой, мимолетной связи, о романе с неизвестною женщиной, которой не знаешь по имени и фамилии, вдруг овладела им».

И свое знакомство с ней он начинает через ее побрякушку, через собачку:

«Он ласково поманил к себе шпица и, когда тот подошел, погрозил ему пальцем. Шпиц заворчал. Гуров опять погрозил».

Это — модель гуровского обращения с женщинами: ласково поманил, а когда подошли поближе, погрозил. Подойди, но не слишком близко.

В эти дни мимолетного, обреченного на скорый конец романа Гуров оценивает Анну Сергеевну едва ли не как часть природы. "Что-то в ней есть жалкое все-таки", — подумал он и стал засыпать", «Гуров, глядя на нее теперь, думал: "Каких только не бывает в жизни встреч!"» Анна Сергеевна стыдится своего грехопадения, и «Гурову уже было скучно слушать, его раздражал наивный тон, это покаяние, такое неожиданное…»

«На столе в номере был арбуз. Гуров отрезал ломоть и стал есть не спеша. Прошло, по крайней мере, полчаса в молчании».

Полчаса — это очень много, и внимательный читатель рассказа должен сам заполнить это длинное молчание тихими звуками поедаемого, холодного арбуза, непоказанными, необозначенными мыслями персонажей, их чувствами:

унынием и душевным дискомфортом женщины и терпеливым равнодушием мужчины, пережидающим, пока посткоитальная скука пройдет и нарушенный баланс эмоций восстановится. Между тем единственная фраза, обозначившая телесное соитие, не имеет никакого отношения к телесному восторгу, которого ждали, которого хотели оба любовника: «...и было впечатление растерянности, как будто кто вдруг постучался в дверь».

«Кто-то» постучался и, очевидно, вошел. «Кто-то» невидимый, незваный, тот, кто ходит где хочет, приходит тогда, когда сам захочет прийти. «Кто-то», кто выбирает случайных людей — совершенно обычную, ничем не особенную, одну из многих Анну Сергеевну, совершенно обычного, каких много, стареющего Гурова. Этот «кто-то» приходит не для того, чтобы принести радость и красоту, — радоваться и любоваться они и без него умеют. Он приходит не для того, чтобы облегчить жизнь: после его визита жить героям становится бесконечно труднее, чем раньше, они будут обманывать близких, и лжи в их жизни сильно прибавится. Но он приходит — и все переворачивается, превращается, сдвигается, осмысляется.

Гуров «спал дурно, все сидел в постели и думал или ходил из угла в угол. Дети ему надоели, банк надоел, не хотелось никуда идти, ни о чем говорить». И он решается поехать в серый, пыльный, провинциальный город С., где живет Анна Сергеевна. «Он все ходил по улице и около забора поджидал этого случая… Парадная дверь вдруг отворилась, и из нее вышла какая-то старушка. А за нею бежал знакомый белый шпиц. Гуров хотел позвать собаку, но у него вдруг забилось сердце, и он от волнения не мог вспомнить, как зовут шпица».

Читатель тоже так и не узнает имени собаки. Да, собственно, с этого момента он больше и не услышит о ней. Здесь поразительно то, что Гуров забыл имя собаки не потому, что собака играет в рассказе мелкую, вспомогательную роль. Наоборот. Гуров забывает ее имя «от волнения»: его чувства смятены этим маленьким белым животным, при взгляде на него у героя бьется сердце. Собака, которую недавно, на юге, он использовал как предлог для знакомства с женщиной, собака, которой в рассказе и места-то почти не уделено, которая неизвестно где находилась в грешные часы, которые проводил Гуров в номере гостиницы с Анной Сергеевной, собака, с которой Гуров не попрощался, словно не заметив, на вокзале (нам ничего об этом не сказано, словно она невидима), — эта ничтожная, декоративная собачка вдруг становится личностью, важным, дорогим существом, способным взволновать до сердцебиения. Собака больше не часть равнодушной природы, в которой «все прекрасно», она почти человек.

Гуров едет в театр, рассчитывая встретить там Анну Сергеевну, и она правда оказывается там.

«Когда Гуров взглянул на нее, то сердце у него сжалось, и он понял ясно, что для него теперь на всем свете нет ближе, дороже и важнее человека; она, затерявшаяся в провинциальной толпе, эта маленькая женщина, ничем не замечательная, с вульгарною лорнеткой в руках, наполняла теперь всю его жизнь, была его горем, радостью, единственным счастьем, какого он теперь желал для себя; и под звуки плохого оркестра, дрянных обывательских скрипок он думал о том, как она хороша. Думал и мечтал».

С чеховским героем происходит ПРЕОБРАЖЕНИЕ, без всякой причины, без всякого объяснения, нипочему. Эта самая большая и таинственная правда, которая известна, наверное, каждому, не объяснима ничем, кроме вмешательства сил метафизических, духовных, тех, что выше нас, тех, что могут невидимо «постучать в дверь». «Ничем не замечательная» Анна Сергеевна, непонятно почему полюбившая Гурова и необъяснимо необходимая ему, заменившая весь мир, — один из самых прекрасных и волнующих персонажей в литературе, а рассказ «Дама с собачкой» по праву считается шедевром, хотя что в нем такого происходит? Да ничего, кроме чуда. После того, как Гуров осознает, что не может жить без Анны Сергеевны, встречи их — на этот раз в Москве, куда она тайно приезжает, — на первый взгляд бесконечно скучны, банальны, пошлы, неотличимы от их южных встреч, разве что тогда сияло солнце, а сейчас идет мокрый снег. Но это именно на первый взгляд. Герои делают все то же, что делали и тогда: Анна Сергеевна плачет, а Гуров терпеливо пережидает, пока она наплачется. Тогда, на юге, он ел холодный арбуз, а теперь, на севере, он пьет горячий чай. Внешнее уличное тепло сменяется холодом, а внутреннее, интимное, наоборот: холод становится теплом. Герои стали другими.

Русская классическая литература стыдлива и целомудренна в описании сцен любви, но Чехов оставляет подробности адюльтера вне поля зрения читателя не по этой причине, а просто потому, что адюльтер тут ни при чем. Эротическая притягательность объекта страсти, волнующая внешность, душевные страсти, от самых восторженных до самых мрачных, в русской литературе представлены достаточно широко и подробно. Русская литературная традиция знает (во всяком случае знала раньше), что техническое описание процесса совокупления, физиологические подробности, занимающие такое важное место в литературе западной, да, впрочем, и восточной, не могут передать внутренних ощущений, эмоций, переживаний героев. Технические упражнения, телесная эквилибристика — необходимая и прекрасная часть любовного акта — остаются за рамкой текста, возможно, потому, что они не индивидуальны, неличностны, предсказуемы, механистичны, повторяемы, воспроизводимы, заранее известны, они суть часть Большой Природы и сами по себе не отмечены таинственным отпечатком этического, личного, интимного божества. Совокупление роднит нас с животными, с растениями, с рептилиями, с безличным родовым началом, с морем, которое «теперь шумит и будет шуметь так же равнодушно и глухо, когда нас не будет». И недаром Гуров вспоминает о безымянных женщинах, которые прошли через его жизнь до встречи с Анной Сергеевной, так: «и когда Гуров охладевал к ним, то красота их возбуждала в нем ненависть, и кружева на их белье казались ему тогда похожими на чешую».

Совершенно неважно, по большому счету, что Гуров и Анна Сергеевна «согрешили», и если кто-либо хотел бы подробностей того, как именно это происходило на юге и на севере, никому не возбраняется пустить в ход воображение и представить себе любые, самые смелые акробатические кувыркания. Здесь нет тайны — вот и нечего описывать. Тайна — в том преображении, в том превращении, в том непонятном и беспричинном, что случилось с героями, и замечательно то, что Чехов ее ТОЖЕ НЕ ОПИСЫВАЕТ. Он не может ее описать, как не может, не способен, не в состоянии описать ни один из самых гениальных писателей. Ибо это есть Чудо, это выше всякого понимания, и описать этого нельзя.

Чехов делает то возможное, что доступно писателю: он описывает состояние «до», и состояние «после» того, как кто-то словно бы постучал в дверь. Рассказ делится на две почти одинаковые половины, зеркально отраженные одна в другой: юг — север, холод — тепло, пустота — полнота, неживое — живое, равнодушие — сердцебиение, нелюбовь — любовь. И в первой, и во второй половинах рассказа плачет в гостиничном номере женщина, а мужчина ест, дожидаясь, пока она закончит это делать. Но если в начале рассказа, до невидимой черты, в комнате присутствуют «скука», «раздражение», «уныние», «печаль», то в конце их место занимают «прощение», «сострадание», «искренность», «нежность», «любовь».

Этот невидимый переход, этот неслышный «стук в дверь», это посещение — одно из самых поразительных описаний того, как между нами, неразличимый внешним зрением, ходит ангел любви; одна из самых достоверных фотографий, на которой ничего не изображено, но все отчетливо видно.

Вопреки расхожему мнению, неглубокому, как все расхожее, любовь существует не для продолжения человеческого рода. Одного взгляда на человечество достаточно, чтобы убедиться, что человечество, так же, как и весь животный мир, прекрасно размножается без всякой любви, исключительно благодаря физиологическому инстинкту. Во всех обществах, во всех культурах любовь и брак существовали раздельно, сливаясь в одно только при исключительно редких и благоприятных обстоятельствах. Это не говоря уже о том, что во многих культурах любовь как условие для брака просто запрещается, и для обеспечения этого запрета жених и невеста не имеют права видеть друг друга до свадьбы. Любовь часто бежит брака, любовь тяготится браком, и о каком размножении можно говорить при любви гомоэротической? Традиционное общество неодобрительно относится к такой любви, а также ко всем «странным» видам любви, например, любви к предметам (это сразу называется фетишизмом и рассматривается как нечто не вполне здоровое), к животным, к искусству, наконец, к Богу. Влюбленный ведет себя антисоциально, нарушает установившиеся табу, разрушает семьи, причиняет горе невинным детям, убивает, кончает с собой, повинуясь миллион раз описанной, но все еще не уясненной потребности делать так, а не иначе. Со стороны он выглядит странно, глупо и даже иногда неприятно. Поставить себя на его место может только тот, кому знакомо это чувство изнутри, да и то это сочувствие здорового больному. Чувства любящего обостренно-индивидуальны, он видит и слышит иначе, чем другие, он действительно словно болен, но заразить своей болезнью он может лишь тот объект, на которого они направлены. Подменить объект нельзя, ведь он тоже совершенно уникальный, и, например, близнец любимого существа нам не годится, хотя бы он был неотличим от любимого.

Оскорбительное и, скажем даже, тупое бесчувствие «здорового» по отношению к «больному» сказалось в том непонимании, которым встретил чеховский рассказ его современник, Лев Толстой. 16 января 1900 года он записал в дневнике: «Читал "Даму с собачкой" Чехова. Это все Ницше. Люди, не выработавшие в себе ясного миросозерцания, разделяющего добро и зло. Прежде робели, искали; теперь же, думая, что они по ту сторону добра и зла, остаются по сю сторону, т.е. почти животные».

Это — поздний Толстой, воображающий, что «миросозерцание» может удержать от порыва страсти, осуждающий природу за то, что она — природа, а не ясная, разумная позиция. Впрочем, на то он и поздний, на то и старик, на то и Толстой: уже тридцать лет, как он сам борется с живыми страстями, сначала своими собственными, а потом и с чужими, но побороть никак не может. Удивительна же эта запись потому, что принадлежит перу автора «Анны Карениной», поставившего к роману эпиграф: «Мне отмщение, и Аз воздам», а теперь забывшего, что воздаст действительно Бог, а не перегоревший и много грешивший старик из Ясной Поляны. Удивительна она и потому, что усмотреть в отношениях чеховских персонажей ницшеанство и торжество животного начала может только безумный. Или, наоборот, слишком разумный человек, разумный до бесчувствия. Словно бы Толстой не прочел чеховскую фразу в финале рассказа: «Прежде, в грустные минуты, он [Гуров] успокаивал себя всякими рассуждениями, какие только приходили ему в голову, теперь же ему было не до рассуждений, он чувствовал глубокое сострадание, хотелось быть искренним, нежным…»

Однако надо вернуться к вопросу, заданному нами в самом начале: почему же в равнодушии природы — залог спасения? Спасения от чего? В чем гибель, от которой мы хотим спастись?

И ответ, как ни странно, будет такой: гибель — в любви. Равнодушие природы — залог спасения от любви, обещание, что все пройдет, и любовь тоже пройдет.

Недаром, недаром этот рассказ так мучительно волнует, так неуловимо печален, так воздушно прослоен оговорками, недомолвками, оброненным то тут, то там странным, неожиданным словом, словно бы попавшим в текст по ошибке. Это — Чехов, двухслойный, трехслойный, не дающийся в руки, как отражение на воде. Чехов, никогда ничего не утверждающий, не дающий клятв и не осуждающий, отменяющий только что сказанное, перетекающий из одного невидимого сосуда в другой, едва заметный глазу: это Чехов, прихотливо, как дым, меняющий свое направление, упорно и постоянно превращающийся, словно по законам некоей химической реакции, про которую мы все время забываем, хотели бы забыть. Никогда Чехов не написал ни одного рассказа на тему: «поженились — и жили счастливо», это для него невозможно. В самом сердце счастья зреет горе, в самом желанном и блаженном чувстве заложена гибель самого чувства; из каждого начала виден конец.

«Вы должны уехать... — продолжала Анна Сергеевна шепотом. — ...Я никогда не была счастлива, я теперь несчастна и никогда, никогда не буду счастлива, никогда! Не заставляйте же меня страдать еще больше! Клянусь, я приеду в Москву. А теперь расстанемся! Мой милый, добрый, дорогой мой, расстанемся!

Она пожала ему руку и стала быстро спускаться вниз, все оглядываясь на него, и по глазам ее было видно, что она в самом деле не была счастлива».

«...Она плакала от волнения, от скорбного сознания, что их жизнь так печально сложилась; они видятся только тайно, скрываются от людей как воры! Разве жизнь их не разбита?»

«Для него было очевидно, что эта их любовь кончится еще не скоро, неизвестно когда. Анна Сергеевна привязывалась к нему все сильнее, обожала его, и было бы немыслимо сказать ей, что все это должно же иметь когда-нибудь конец».

«Потом они долго советовались, говорили о том, как избавить себя от необходимости прятаться, обманывать, жить в разных городах, не видеться подолгу. Как освободиться от этих невыносимых пут?

— Как? Как? — спрашивал он, хватая себя за голову. — Как?»

Никак. Спасение — в забвении, в смерти чувства, в смерти любви. Спасение в том, что «так шумело внизу, когда еще тут не было ни Ялты, ни Ореанды, теперь шумит и будет шуметь так же равнодушно и глухо, когда нас не будет». Спасение — в полном равнодушии древнего, как мир, моря к жизни и смерти каждого из нас. «Непрерывное движение жизни на земле, непрерывное совершенство» возможно не для отдельного человека, а лишь для расы людей, для множества таких разных и таких похожих, таких повторяющихся женщин и мужчин, с собачками и без собачек, плачущих о своей земной клетке, о жажде счастья, и терпеливо пережидающих эти слезы. Спасение в том, чтобы выпасть из мучительной и чудесной ловушки, в которую неизвестно почему поймал тебя тот, кто постучал в дверь, в том, что выход есть, выход горький, двусмысленный, выход через смерть.

«Что-то в ней есть жалкое все-таки, — подумал он и стал засыпать». С этой мыслью Гуров впускает Анну Сергеевну в свою жизнь, с этой мыслью, может быть, он и проводит ее, когда настанет срок, потому что «все это должно же иметь когда-нибудь конец», и дверь открыта, и нужные слова лежат наготове. Дерево еще в цвету, но секира лежит у корней.

Всмотревшись в текст, мы с ужасом обнаруживаем возможность смерти, ее тень, трупные пятна, проступающие сквозь цветущий румянец: да, несомненно, они тут. Эта мысль невыносима для сердца, мы не хотим, чтобы умерла любовь Гурова и Анны Сергеевны. Мы очень просим кого-то, чтобы этого не случилось. Ведь это едва ли не единственный рассказ Чехова, где люди, наконец, глубоко полюбили друг друга. Но Чехов двоится и ускользает от ответа и здесь: смерть возможна, но не обязательна, может быть, ничего плохого и не случится, может быть, эти двое удержатся и не умрут, может быть, только они двое и окажутся бессмертными... во всяком случае, времени еще много, путь еще долог. «И казалось, что еще немного — и решение будет найде-

141

но, и тогда начнется новая, прекрасная жизнь: и обоим было ясно, что до конца еще далеко-далеко и что самое сложное и трудное только еще начинается». Этой двусмысленной в каждом слове, «муаровой», одновременно безутешной и утешительной фразой заканчивается рассказ.

Через одиннадцать лет после Чехова, когда писателя уже не было на свете, другой писатель, Томас Манн, пришлет другого персонажа, Ашенбаха, умирать у другого моря, в Венецию. С Ашенбахом тоже совершенно неожиданно случится прекрасное и ужасное событие: он полюбит, тоже впервые в жизни, и эта любовь, запретная и разрушительная, не найдя себе выхода, убьет его. Люди решат, что убила его болезнь, невидимо идущая по городам и побережью, но люди всегда всё видят неправильно. Перед самой смертью «...ему чудилось, что бледный и стройный психагог издалека шлет ему улыбку, кивает ему, сняв руку с бедра, указует ею вдаль и уносится в роковое необозримое пространство».

В то море, наверно, куда все когда-нибудь вернутся?

Русский человек
на рандеву

С русским человеком Андреем Макиным приключилась счастливая и необыкновенная история. Такого, говорят, никогда не бывало ни с кем. Он получил за свой роман, написанный по-французски, Гонкуровскую премию — высшую французскую литературную премию, которую французы, вообще-то, иностранцам не дают. Поскольку Макин писал по-французски и живет во Франции, то он как бы и не иностранец, но, положа руку на сердце, он, конечно, и не француз. К своей культуре, к литературе, к языку, к стилю французы относятся необычайно ревниво, много ревнивее, чем другие европейцы, что вызывает порой насмешки и протесты у политически корректных наций, например, у американцев с их идеей всеобщего равенства и достаточным равнодушием к чистоте собственного языка. Огрубляя, можно сказать: французы считают, что французом нужно родиться, и дело не в происхождении и корнях, а в том неповторимом, что закладывается с детства, что впитывается в процессе обучения и постижения.

Собственно, мы во многом такие же, и наша культурная спесь (со скидками на многонациональный состав участников) тоже достаточно велика. Представим себе француза, который приехал бы в Россию в 30-летнем возрасте впервые, бомжевал по подвалам и чердакам, а сам бы пописывал тем временем на хорошем русском языке (оттого, что в детстве любил Чехова и Достоевского) и сорвал бы в результате престижный литературный приз. Не представляем мы себе такого француза. Вот так и они.

Более того, Макин получил за тот же роман еще и премию Медичи, и «лицейского Гонкура» (премию, назначаемую студентами), чего, как нам говорят, не случалось ни с одним французским писателем за все время существования этих премий. У меня есть пачка рецензий на роман и несколько статей о Макине, опубликованных во Франции, Англии и Америке, и скудные, а иногда, боюсь, и неточные сведения о писателе я черпаю из них, но тут уж я ничего поделать не могу: один из журналистов пишет, что Макин особенно уклончив при расспросах о нем самом, о причинах, побудивших его к отъезду из России, о личной жизни, вообще обо всем, о чем принято расспрашивать в такого рода случаях; уважая «прайваси» писателя, я и не хочу заниматься самостоятельными выяснениями каких-либо конкретных обстоятельств, несмотря на то, что в данном случае они имеют почти прямое отношение к роману.

До какой-то степени роман явно автобиографичен. Мы знаем, что Макин приехал во Францию взрослым человеком, страстно хотел стать французским писателем, написал четыре книги, бедствовал, ночевал в склепе на кладбище (журналисты очень любят такие детали), попадал в нелепые ситуации. Так, пока он честно говорил, что пишет сразу по-французски, его не хотели печатать, и тогда он стал вынужден врать, что кто-то переводит его тексты с русского оригинала. Однажды издатель, заметив, что фраза по-французски звучит не совсем ловко, попросил посмотреть оригинальный текст. Оригинала не было, и Макин бросился домой торопливо переводить с французского назад на русский, чтобы было что предъявить. Три его романа прошли незамеченными, четвертый же вдруг привлек внимание Симоны Галлимар, хозяйки одного из самых, если не самого престижного французского издательства, и это было началом успеха. Нам сообщают детективные детали развернувшихся интриг: узнав, что Макин выдвинут на Гонкуровскую премию, конкурирующая группа срочно наградила писателя премией Медичи, чтобы не допустить его к Гонкуру: узнав об этом, Гонкуровский комитет пришел в ярость и опубликовал беспрецедентное, как говорят, заявление о том, что он, Гонкуровский комитет, совершенно свободен в своих вкусах и оценках, и другие ему не указ, так чтоб все знали. Сама Симона Галлимар совсем немного не дожила до волнующего дня, а если бы дожила, то торжествовала бы. Если это кого-то интересует, — нищий Макин немедленно стал богатым человеком, его книги изданы неслыханным тиражом: 520 000 в твердой обложке, 80 000 в мягкой и 100 000 — клубное издание, что вместе составляет тираж в семьсот тысяч экземпляров. Это все, не считая переиздания первых трех, до того незамеченных романов, не говоря уже о том, что его сразу бурно стали переводить на другие языки (25 стран на момент публикации рецензии). Отмечают, что писатель не зазнался, не изменил своим скромным привычкам... обычные клише. Такова счастливая история этой Золушки.

Казалось бы, хороший тон — говорить не об авторе, а о его произведении, и, задумавшись попутно о том, насколько этот принцип приложим к авторам трудов автобиографических и полуавтобиографических, попробуем по возможности держаться правил литературного приличия. Тут, правда, сразу возникают тонкости и трудности. Макин русский человек, но НЕ русский писатель, и это и есть самое странное и интересное в этой истории. Из его романа, собственно, следует, что он хочет быть русским, а если иногда восстает, то этот протест кратковремен; что он обречен на русскость, что с этим ничего не поделать. А с другой стороны, он хочет быть французом, он поселился в Париже, он хочет писать по-французски, его русская и французская ипостаси одновременно составляют целое и борются друг с другом. Вот тут бы мне и решить для себя, о ком мы, собственно, говорим — о писателе или о его герое, его альтер эго, но роман ровно до такой степени автобиографичен, что разделить их трудно, а кроме того, как я хочу показать ниже, «языковая личность» автора в самой большой степени влияет на текст романа, на стиль, на композицию и все прочие элементы его структуры.

Попробую пересказать сюжет, но буду вынуждена делать длинные отступления в сторону. Маленький мальчик, почти безымянный (лишь к концу романа кто-то называет его Алешей, что легко и пропустить), вместе со своей безымянной сестрой живут в большом индустриальном городе где-то на Волге. Каждое лето они проводят со своей бабушкой в маленьком городке, а то и селе, называемом Саранза (название, очевидно, выдуманное). Эта Саранза находится на краю бесконечных волжских степей, и бабушкин дом — последний в ряду; он смотрит в степь. В Саранзе есть избы, но бабушкин дом построен в стиле модерн, сразу перед революцией. Балкон квартиры висит прямо над степью. Вечером бабушка зажигает бирюзовую лампу, садится чинить кружевную блузку, а дети у ее ног слушают рассказы бабушки. Бабушка — француженка, красивая, элегантная, сдержанная, образованная, несколько отрешенная; к необыкновенным ее достоинствам относится умение ладить с местным населением: пьяницей Гаврилычем, молочницей, бабками во дворе. Рассказывает она детям о Франции, рассказывает о своей жизни, читает французские стихи. Под ее кроватью стоит «сибирский сундук», набитый вырезками из старых французских газет, фотографиями и тому подобным; содержимое она показывает и пересказывает детям. Постепенно они подпадают под очарование бабушкиных рассказов, под очарование языка; видят, слышат и осязают почти до галлюцинаций этот чужой и далекий мир: Францию начала века, не существующую более нигде, кроме их воображения. Есть мир степной Саранзы — а вернее, мир бабушкиного висящего над степью, над краем земли, балкона; есть мир бабушкиного прошлого, о котором позже, и есть мир выдуманной Франции, — все эти миры находятся в сложном переплетении.

Мальчик — рассказчик — необычайно впечатлителен к слову, мечтателен и словно бы отрешен, порой до аутизма. Он — вуайер особого рода: для того чтобы в полной мере пережить головокружительное ощущение присутствия, чтобы мертвое «ничто» превратить в непосредственно переживаемое ощущение, ему необходимо слово, волшебная формула, позволяющая остановить и воскресить утраченное мгновение. Вот он, подросток, рассматривает газетную вырезку, — а на обороте фотография трех красавиц былых времен.

«И тут же влюбился в них. В их фигуры и в их нежные внимательные глаза… (…) Да, их красота была именно такой, какую юный мечтатель, физически еще невинный, может без конца представлять себе в эротических сценах собственного сочинения. (…) Я всматривался в них, и мне все больше становилось не по себе. Их тела были мне недоступны. (…) Тогда я попытался приблизить их к себе, сделать своими воображаемыми любовницами. Посредством вышеупомянутого эротического синтеза я смоделировал их тела — они двигались, но как-то деревянно, будто спящие летаргическим сном, которых одели, поставили на ноги и выдают за бодрствующих».

Все попытки воскресить красавиц с газетной вырезки тщетны, и тогда — «Вот тут-то мне на ум, вновь обратившийся к трем красавицам, пришла эта мысль… (…) Я сказал себе: "Но ведь было же все-таки в их жизни это ясное, свежее осеннее утро, эта аллея, усеянная опавшими листьями, где они остановились на какое-то мгновение и замерли перед объективом. Остановив это мгновение… Да, было в их жизни одно яркое осеннее утро…"

Эти немногие слова совершили чудо. Ибо внезапно я всеми пятью чувствами ощутил мгновение, остановленное улыбкой трех женщин. Я очутился прямо в его осенних запахах, ноздри мои трепетали… (…) Да, я жил, полно, насыщенно жил в их времени! Эффект моего присутствия в том осеннем утре, рядом с теми женщинами был так силен, что я чуть не в панике вырвался из его яркого света. Я вдруг очень испугался, что останусь там навсегда. (…) И плоть их, только что недосягаемая, жила во мне, купаясь в остром запахе сухих листьев, в легкой дымке, пронизанной солнцем. Да, я угадывал в них тот неуловимый трепет, которым женское тело встречает новую осень, эту смесь удовольствия и тревоги, эту светлую печаль. Между мной и тремя женщинами больше не было преград. Наше слияние было таким любовным, таким полным, что с ним, я чувствовал, не сравнится никакое физическое обладание».

Найдя нужный прием, он пробует его еще и еще раз, — с тем же необыкновенным результатом.

«Преображение трех красавиц позволяло надеяться, что чудо можно повторить. Я хорошо помнил ту простую фразу, которая его вызвала: "Но ведь было все-таки в их жизни это ясное, свежее, осеннее утро…» Подобно ученику чародея, я снова вообразил усатого красавца в кабинете у черного окна и прошептал магическую формулу… (…) Не успев толком прийти в себя, я опять повторил свое "сезам, откройся": "А все-таки был в жизни того старого солдата один зимний день…"»

Я опускаю большую и лучшую часть текста — он в журнальной публикации занимает почти четыре страницы убористого шрифта. Выбраны лишь отрывки, демонстрирующие механизм, который запускает писательское — а это именно писательское — воображение. Другие писатели, очевидно, могут пользоваться другими приемами; и существуют любопытные свидетельства о том, кто из великих предпочитал какие сильнодействующие средства, чтобы личный «сезам» открылся и заработал: тут и нюхание гниющих яблок, и таз с холодной водой для ног; один классик лежал на диване, свесив голову вниз, чтобы прилила кровь (XIX век), другой выходил с утра на улицу и считал и складывал номера проезжавших машин по особой формуле, ища знака свыше (век XX). Все это, может быть, очень любопытно, но читателю художественной литературы нужно не знание приемов, а достигаемый с их помощью результат. Читателю нужен тот текст, который только что опущен мной при цитировании, он сам хочет увидеть и почувствовать всеми пятью чувствами и трех красавиц, и усатого мужчину у окна, и старика-солдата; читатель и сам — вуайер, возбуждающийся от слов, для того он и читает.

Удается ли читателю войти в остановленное таким способом мгновение — судить каждому по-своему; а вот что видит автор:

«"А все-таки был в жизни того старого солдата один зимний день…" И увидел старика в конкистадорской каске. Он шел, опираясь на длинную пику. Лицо его, раскрасневшееся на ветру, было замкнуто в горькой думе: о старости, об этой войне, которая и после его смерти все будет продолжаться. Вдруг он почувствовал в тусклом воздухе стылого дня запах горящих дров. Приятный, немного едкий привкус мешался с холодной свежестью изморози на голых полях. Старик глубоко вдохнул терпкий зимний воздух. Отсвет улыбки оживил его суровое лицо. Он чуть прищурился. Это и был он — тот человек, что жадно вдыхал морозный ветер, пахнувший дымком очага. Он. Здесь. Сейчас. Под этим небом… И вот предстоящая битва, и эта война, и даже собственная смерть показались ему совсем незначительными событиями. Да, всего лишь эпизодами неизмеримо большей судьбы, которой он станет — уже бессознательно стал — сопричастен. Он дышал полной грудью, он жмурился и улыбался. Он чувствовал, что мгновение, которое он сейчас переживает, и есть начало этой предугаданной судьбы».

Так автор оживляет старого солдата с фотографии. Мысль в конце отрывка, на мой вкус, неясна и неряшлива: почему это собственная смерть — незначительное событие? какая это неизмеримо большая судьба? как он ей будет сопричастен, что именно предугадано? — и так далее; понятно, что покорный солдат воображен насильственно, подогнан по авторскому размеру, а хозяин — барин, но вот запах дыма в морозном воздухе — первичен, он дразнит одно из наших пяти чувств, и потому неподделен. Есть этот дым — есть и солдат, нет дыма — нет солдата, умер, забыт, потускнел.

Положим, автор не так прост: сознательно или бессознательно он разыгрывает перед нами сложную и многословную сцену на тему «дым отечества»: мальчик, разглядывавший старые фотографии ДО того, как нашел свою волшебную формулу, видит так: «...Не стоик, не блаженный, он шел с высоко поднятой головой по этой плоской, холодной, унылой земле, которую, несмотря ни на что, любил и называл "родина" (...) В этом вызове я почувствовал словно бы новую струну той живой симфонии, какой была для меня Франция. Я попытался тут же найти этому название: патриотическая гордость? рыцарский султан? Или пресловутая *furia francesa*, которую признавали за французскими воинами итальянцы? Перебирая в уме эти ярлыки, я увидел, что лицо старого солдата медленно замыкается, глаза его погасли. Он снова стал одной из фигур на старой коричневато-серой репродукции. Это было так, словно он отвел взгляд, пряча от меня свою тайну, которая мне только что приоткрылась». В чем же эта тайна? «Дым» чувственно оживляет солдата для мальчика, но — на поверхности — не раскрывает, казалось бы, никакой тайны, кроме всегда таинственного ощущения сопричастия другому, живому, отдельному от нас существу. Здесь приходится читать едва ли не между строк; сцена с «родиной» и замыкающимся лицом старого солдата и сцена с «дымом» разнесены в тексте, и формулу «дым отечества» читатель должен собрать сам, соединив два отрывка вместе.

«Отечества и дым нам сладок и приятен...» Это — одна из ключевых формул для прочтения романа, хотя напрямую она, кажется, нигде не высказана. При этом автор то утверждает ее, то оспаривает, то вопрошает: а что есть отечество? Которое? Россия или Франция? Или это — язык? Но который? Или это страна воображения? Или это прошлое? Или же вообще судьба? «Предугаданная» и «неизмеримо большая», что бы это ни значило на его личном языке, в системе выбранных им самим координат? Все варианты понятия «отечество» разыграны в тексте, «дым» тоже присутствует в разнообразнейших видах: это и помянутый мной дым, вдыхаемый солдатом с потускневшей фотографии, и табачный дым советской городской кухни, и «угарный запах железных дорог, который ни с чем не спутаешь», дым паровозов и дым топящихся печей, очагов, костров, и дымка над степью, марево, туман, дымный сумрак избы, тяжелый запах старого жилья («дыхание России», говорит автор); дым степных пожаров; это и дым воображения, строящего картины затопленного наводнением Парижа из сумеречного степного воздуха, или картины прежней жизни Шарлотты. И всякий дым, дым всех отечеств сладок и приятен автору, и красоты и ужасы описаны с равным тщанием и любовью, — любовью не к самим ужасам, но к языку, давшему возможность их описать.

Язык этот, напоминаю, французский. Я не знаю, насколько для французской литературы, для французского культурного сознания значима эта формула — «дым отечества», восходящая к «Одиссее». Может быть, она не входит в их джентльменский набор культурных мифологем так, как это происходит в литературе русской. Для нас же она говорит много, столь много, что впору задаться вопросом: какому читателю послан этот культурный сигнал: французу или русскому? Или же сигнал послан самому себе, в попытках понять, к какому миру — французскому или русскому — принадлежит автор, подобно тому, как эхолот посылает звуковой сигнал, чтобы по скорости вернувшегося звука определить глубину вод? Ведь весь роман — а он длинный и сложный — есть своего рода посылка сигналов и замеры глубины: кто я? насколько?.. так ли?.. неужели?.. и окончательного ответа, по-моему, нет.

Сюжет, однако, развивается дальше, действие одновременно развертывается и в то же время стоит на месте и почти никуда не движется, но волшебная формула уже объявлена и приведена в действие: «а ведь все-таки был в ее жизни тот день…» Эти остановленные мгновения из жизни Шарлотты, извлекаемые автором и переживаемые им как живое сегодня (при всем необходимом флере прошедшего времени), составляют сердцевину романа: герой/автор думает о Шарлотте, находится в плену ее чар, ненавидит ее за то, что она сделала его французом, белой вороной в русской тяжкой действительности, благодарен ей, любуется ею, не верит в ее смерть, и снова, и снова видит всю ее жизнь «одной вспышкой». В каком-то плане весь роман есть жизнь Шарлотты, прустовские «поиски утраченного времени» (роману предписан эпиграф из Пруста, и в интервью Макин прямо говорит о его влиянии, и в романе на минуту появляется сам Пруст, играющий в теннис в Нейи, откуда Шарлотта родом). Одновременно с этим роман — вовсе не о Шарлотте, но о самом герое, о том, что с ним Шарлотта сделала, кем она его сделала, и в этом смысле она не более живая, чем три красавицы, обладать коими автор научился по щучьему веленью, вычислив свой «сезам». Техника останавливания мгновений дает возможность герою представлять минувшее и несуществующее так, как это нужно и нравится ему, — а не так, как оно было «на самом деле», в результате он видит не жизнь как таковую, а проекцию собственных фантазий и мечтаний, мифов и снов наяву на некий воображаемый экран. Роман и есть воспроизведение этого «экрана». Все, все, что герой представлял, воображал и думал, есть дым и иллюзия, что и явствует из одной из заключительных сцен романа. В ней герой узнает, что он вовсе не внук своей французской бабушки, но мальчик, взятый на воспитание, сын некоей умершей в больнице узницы сталинского лагеря, а его первое воспоминание, которое он до сих пор считал проявлением прапамяти — «пронзительное ощущение света, пряный запах трав и серебристые нити, прошивающие синюю плотность воздуха», — относится вовсе не к французскому, никогда не существовавшему прошлому. Серебристые нити, которые он считал «пряжей Святой Девы», летучей паутиной, оказываются «новой, не успевшей заржаветь колючей проволокой». Франция оказывается Россией, свобода — заключением, и так далее. Убежав из России во Францию, сменив язык, герой понимает, что никуда нельзя убежать, ничего нельзя поменять.

И опять-таки напомню, что написано это русским человеком по-французски.

Кто тогда и что тогда Шарлотта? В пространстве романа их всего двое — Шарлотта и герой. Да, у него есть сестра (безымянная и скоро исчезающая из поля зрения и читателя, и самого героя, картонная, не оживленная «сезамом» ни в малой мере), есть родители — тоже практически безымянные, удобно умирающие в один год и больше не мешающие и не тревожащие, — мелькнули — пожалел — пропали; есть приятели, не очень близкие; есть и девочка, первая мимолетная любовница — без имени; есть другая девочка, в которую он на секунду влюбляется — имени он не дал и ей. Есть безымянная тетка, «отец ее детей» Дмитрич... все они, — живые, казалось бы, персонажи, — лишь на миг появляются, чтобы уйти из нашего поля зрения навсегда. Взгляд скользит, зацепляется за поверхность, — кожа, волосы, звук голоса, две-три фразы, — ушло. Не то Шарлотта. Она Шарлотта Лемонье, дочь Норбера и Альбертины, она даже Шарлотта Норбертовна, она — «двухлетняя Шарлотта, в обшитом кружевном чепчике и кукольном платье». Она подогнула маленькие пальчики босых ног, «тем самым позволяя мне проникнуть в этот день, ощутить его атмосферу, погоду, цвет...». Она — дочь русских французов и живет в сибирском городе Боярске; после смерти отца она остается в Сибири с матерью-морфинисткой, какие-то семейные обстоятельства мешают матери вернуться во Францию, но она ездит туда регулярно до начала Первой мировой войны. В 1914 году наконец мать, оставив Шарлотту во Франции, уезжает в Россию забрать вещи, тут начинается война, русская революция — и Шарлотта только через восемь лет отправляется на поиски матери. Россия предстает ей с самой страшной стороны, документы отобраны, — она остается тут навсегда. Смерть матери, замужество, опять и опять наши российские ужасы. Мужа переводят служить в Среднюю Азию, там Шарлотту насилует местный бандит, и она рожает своего первенца от насильника. Потом рожает девочку от мужа — это и есть предполагаемая мать рассказчика (лишь после смерти Шарлотты он узнает правду о своем происхождении). Мужа арестовывают, потом отпускают, война, эвакуация, две похоронки, муж возвращается, вскоре умирает от ран, жизнь в глуши, «сибирский сундук» с вырезками и фотографиями, балкон над степью, вечная починка кружевной блузки, бирюзовый свет лампы и склоненная головка, внуки, замершие на скамеечке у ног… Время идет — а она все так же спокойна и прекрасна, она не стареет, умирает ее дочь (предполагаемая мать рассказчика) — а ей словно бы хоть бы что: «ее сухость всех коробила».

Время идет, но не движется, или же наоборот; меняются даты, но не меняется Шарлотта, она все та же. И несмотря на то, что мы все время узнаем все новые подробности ее прежней, вполне бурной жизни, но с того мгновения, как она появляется на своем балконе в начале романа, она не живет, она застыла, она мало чем отличается от потускневших красавиц из старой газеты. Как автомат, она годами штопает кружево блузки, читает французские стихи, пересказывает то, чему и сама не была свидетелем: приезд, например, Николая Второго с женой в Париж в 1896 году… Она не живет, но и не стареет: «если она все еще так прекрасна, несмотря на седые волосы и столько прожитых лет, — думает герой, — то это потому, что сквозь ее глаза, лицо, тело просвечивают все эти мгновения света и красоты…» Не верю! — кричит вслед за Станиславским читатель, но верить его никто и не просит: Шарлотты не существует в том простом смысле, в каком существовала бы обычная старящаяся женщина, пусть и француженка. Шарлотта — как и все в этом романе — есть сон и миф, символ и инструмент для самогипноза, подобно блестящему шарику, которым пользуются врачи-гипнотисты для погружения пациента в лечебную дремоту. Шарлотта, вначале прсдставшая перед нами — и героем — воплощением Франции, постепенно, к концу романа, почти незаметно — и в то же время неуклонно — превращается в воплощение России.

Собственно, ее двухприродность, двузначность заявлены с самого начала. В ее «сибирском» сундуке — французские газеты. Попав во Францию, она стремится в Россию (как и ее мать), а попав в Россию — стремится во Францию, но не может выбраться. Ее судьба — судьба России: Европа и Азия в одном лице, ни то ни се, и то, и другое; изнасилованная, но не убитая, давшая жизнь двум детям — азиату и европейке, она все приемлет и ко всему достаточно равнодушна; самое большое волнение, которое она может испытать, — это «затуманиться светлыми слезами». И деревенская молочница, и пьяный инвалид, гроза двора, тянутся к ней, стихают, смиряются в ее присутствии, — «не верю», — опять-таки протестует читатель, и опять-таки: и не надо верить. Символ и миф не обязаны вести себя с какой-либо долей реализма. Шарлотта проживает символическую жизнь, ходит по символическим мукам, пребывает на символическом балконе, нависшем над воображаемой линией, разделяющей обитаемое и необитаемое пространство, мужчины в ее жизни — символичны: француз-любовник, муж — русский, насильник-азиат (да, скифы мы). Если угодно, тут есть и отсылка к гончаровской «бабушке» («Обрыв») — бабушка-Россия, все понимающая, всех примиряющая. Здесь и мотив России как матери и мачехи одновременно (она одновременно и притягивает, и отталкивает, герой думает, что она ему родная бабушка, но она «приемная») — мотив, вообще свойственный русской литературе, не только послереволюционной. Она — воплощение Вечной Женственности, и женского начала, свойственного, как полагают многие, «русской душе», и более того, она — «монахиня» и «блудница» в одном лице.

В романе есть две сцены, равно впечатляющие и перекликающиеся сходными образами. В одной из них герой-подросток подглядывает за тем, как на старом, полузатонувшем катере совокупляются проститутка и солдат. Катер «пострадал от пожара» (головешки после «дыма отечества»!) В один иллюминатор он видит «женский зад белоснежной, монументальной наготы. Да, бедра коленопреклоненной женщины, тоже в профиль, ляжки, ягодицы, испугавшие меня своей огромностью, и начало талии, срезанной линией обзора». В другой — равнодушное и сонное лицо женщины, облокотившейся «на что-то вроде скатерти» и рассеянно разглядывающей свои пальцы… «Телесный низ» женщины суще-

162

ствует словно бы отдельно от равнодушного «телесного верха» и не связан с ним, и в то же время составляет одно.

В другой сцене Шарлотта рассказывает внуку, как она зашла в избу, чтобы отнести лекарство старушке, и — «тут-то бабушка и увидела ее» — молодую женщину с ребенком на руках. «Молодая женщина с ребенком на руках стояла у окна, сплошь затканного морозными узорами». И опять, заметим, «запах горящих дров витал среди темных стен и смешивался с запахом мороза» — дым отечества! «И знаешь, это была, конечно, иллюзия... Но у нее было такое бледное, такое тонкое лицо... Точно те ледяные цветы на оконном стекле. Да, как будто ее черты проступили из морозного узора. Я никогда не видела красоты столь хрупкой. Словно икона, писанная на льду...»

«Французский привой, который я считал атрофировавшимся, все еще был во мне и мешал мне видеть, — говорит герой романа. — Он расчленял реальность надвое. Как тело той женщины, за которой я подглядывал в два иллюминатора: была женщина в белой блузке, спокойная и очень обыкновенная, и была другая — огромный круп, своей плотской мощью делающий почти ненужным остальное тело.

И тем не менее я знал, что две женщины — на самом деле всего одна. В точности как разорванная реальность. Французская иллюзия мутила мне зрение, подобно тому, как опьянение удваивает мир обманчиво живым миражом…»

В обеих сценах есть женщина (там блудница, там святая), есть окно (иллюминатор), есть «иллюзия», есть и «дым» — мертвое пожарище полусгоревшего катера или живой запах горящих дров. Вот набор ключевых образов. Что дальше? Что с этим делать? «Что хотел автор сказать своим произведением?» А дальше автор — в который уже раз, следуя логике, не вполне разделяемой читателем (да хотя бы мной), но очень для него органичной, делает следующий вывод:

«Я видел замерзшее окно, искристую голубизну изморози, молодую женщину с ребенком. Шарлотта рассказывала по-французски. Французский язык проник в эту избу, которая всегда пугала меня своей темной жизнью, весомой и очень русской. И вот в ее глубинах осветилось окно. Шарлотта говорила по-французски. А могла бы и по-русски. Это ничего не отняло бы у воссозданного мгновения. Значит, существует что-то вроде языка-посредника. Универсальный язык! Я снова вспомнил о том "межъязычье", которое открыл благодаря оговорке, о "языке удивления"…

Тогда-то впервые мой ум пронизала мысль: "А что, если на этом языке можно писать?"…»

Вот этот пассаж (уже на склоне романа к концу) ставит меня, достаточно внимательного читателя, а некоторым образом и писателя, в полнейший тупик. Я НЕ ПОНИМАЮ, о чем говорит автор. Я не понимаю, что такое универсальный язык, язык-посредник, я не понимаю, как можно писать ВНЕ языка. Я знаю, как можно писать НА языке, языком, ВНУТРИ языка; знаю, как он — язык — сопротивляется нашим усилиям и в то же время помогает, неожиданно и услужливо предлагая нужные средства; знаю, как он хочет жить сам по себе, ловко уворачиваясь от насилия над собой, как он — к удивлению пишущего — вдруг становится хозяином, а не слугой, ведет тебя не туда, куда ты намеревался прийти; какие ловушки расставляет и какие восхитительные мостики над пропастью смысла выстраивает; знаю, как можно с его помощью — и при благосклонности муз — поймать провербиальных мух в провербиальные же янтари; понимаю, как можно долго, кропотливо строить копию, макет, цирковую иллюзию действительности — и построить нечто, никакого отношения к действительности не имеющее; — но каким образом можно писать на несуществующем, универсальном языке-посреднике, я понять не могу.

В романе есть несколько пассажей, где смысл этого парадоксального предприятия — писать на «межъязычье» — почти объясняется автором. Не буду пространно цитировать — пассажи эти слишком длинные, да и весь роман — с некоторой высоты прочтения — есть одна большая попытка это сделать. Приведу только маленькие отрывки: в какой-то момент что-то делается с «внутренним зрением автора». «Я вдруг увидел! Или, вернее, ощутил всем существом сверкающую связь, объединившую это мгновение…» со всем множеством ранее пережитых мгновений: они «образовали некий особенный мир со своим собственным ритмом, со своим воздухом и своим солнцем. Почти другую планету. Планету, где смерть этой женщины с большими серыми глазами была немыслима. Где женское тело раскрывалось в веренице манящих мгновений. Где мой "язык удивления" был бы понятен другим. Эта планета была тем же самым миром, который разворачивался по ходу нашего вагона. (…) Тем же самым миром, но увиденным по-другому. (…) …чтобы увидеть эту планету, надо вести себя как-то по-особенному. Но как?»

Так как же? И что это за «почти та же» планета? Идет ли речь о внутреннем мире писателя? О литературе — языке-посреднике? Но какая же литература без языка? Или автор говорит об универсальном, трансцендирующем любой язык языке образов, способе видеть и соединять увиденное так, чтобы при любом переводе угол зрения, уникальный для автора, оставался тем же?

«Я сел на пол и закрыл глаза. Я ощущал в себе вибрирующую вещественность всех этих жизней».

«…таинственное созвучие вечных мгновений. (…) Надо было через безмолвный труд памяти разучить гаммы этих мгновений. Научиться сберегать их вечность в рутине повседневных действий, в тупости расхожих слов. Жить с сознанием этой вечности…»

«Это был африканец, в его глазах стояло смирившееся, спокойное безумие. Он заговорил. Я наклонился к нему, но ничего не понял. Наверное, то был язык его родины… Картонки его убежища были исписаны иероглифами».

Я наклонился к нему, но ничего не понял… Здесь автор ироничен и жесток по отношению к самому себе. Улица ли корчится безъязыкая, утерян ли счастливый миг, когда казалось, что универсальный язык найден? Намек ли это, знак, сигнал, образ, весть о том, что «язык родины» (которой?) непонятен другим, и надо опять-таки искать язык-посредник, искать средства самовыражения?

«Таинственное созвучие вечных мгновений» — излишне красивые слова, каждое по отдельности, а уж все вместе — тем более. Приторный сахар медович в шоколаде, с зефиром и взбитыми сливками. Смысл, однако, никогда не бывает приторным, и смысл тут есть. Это желание человека быть всем миром, прошедшим и настоящим, соединить все в себе, встать в некоем центре, на перекрестке, в сердцевине мира, — знакомо многим и выражено многократно и по-разному. «Вселенский человек». «Весь трепет жизни всех веков и рас // Живет в тебе. Всегда. Теперь. Сейчас». «О, я хочу безумно жить: все сущее — увековечить, безличное — вочеловечить, несбывшееся — воплотить!» (Приблизительно тысячу примеров — от мандалы Шри-Янтра до «музыки сфер», от борхесовского «Алефа» до дантовской «любви, что движет солнцем и созвездиями», и т.п. опускаю.)

Итак, освященное традицией желание быть сразу всем и всеми: русским и французом, солдатом и женщиной, Европой и Азией, настоящим и прошлым, — быть всем и все воплотить? Надо ли тогда понимать «язык родины» как природный, бытовой, расхожий язык («тупость расхожих слов») в противовес «межъязычью» — языку поэзии, литературы, творчества? Должно быть так, иначе нечем скрепить ткань романа, нечем объединить те несколько планов, которые я постаралась наметить (их больше), нечем объяснить ненормальную яркость одних образов (в основном случайные лица и пейзажи), контрастирующую с ненормально тусклым рядом других (скажем, прозрачные, как залетейские тени, родственники героя, невидимка-сестра). В романе начисто отсутствует юмор, нет психологии, взгляд кружит вокруг одних и тех же пейзажей, сцен, деталей, — но так и должно быть, этого и следует ожидать, если главной темой является рождение писателя, поиск языка, всматривание в самого себя.

Тут, однако, мы, простые люди, опять заходим в тупик. «Межъязычье» — это впечатляет, но, положа руку на сердце, нам этого как-то мало; мы бы хотели и обычного языка, желательно — очень хорошего. Желательно — «на усех уроунях». Чтобы и лексика, и грамматика, и выбор слов, и все остальное. Тут мы опять с досадой вспоминаем, что русский человек Макин написал роман на французском языке, а на русском писать не стал, и мы можем прочесть этот роман только в обратном переводе с французского. И межъязычье межъязычьем, но у французского языка — свои законы, а у русского — свои. И более того, у французского языка, у французской литературы свой набор стилевых традиций, а у русского — свой. Например — пугаясь, размышляем мы, — как перевел бы француз на свое королевское наречие простенький русский текст: «То-то, брат, и оно-то!.. Это тебе не фу-фу!.. Неча! Эвон! Шалишь!..» — и, еще больше пугаясь и горюя, догадываемся, что — никак бы не перевел, все бы испортил… Очевидно, и при переводе в обратную сторону, с французского на русский, должны возникать дубовые неловкости стиля, натужное притворство, словесные комки и колтуны. Добро бы действие «Французского завещания» происходило во Франции, так нет же — в России, в совке, в деревне! Добро бы главным персонажем была французская бабушка, так нет же, она одна такая, а остальные-то — наши! Один из этих наших, грубый и пьяный комиссар, говорит нежной француженке в 1922 году: «Я могу арестовать и расстрелять тебя здесь, во дворе, где сортиры!» Ой, не говорит он так, ни за что не поверю, — «во дворе, где». Наверное, он говорит что-то вроде: «Вот щас как арестую да и пущу в расход у нужника!» Или: на кухне у нашего героя взрослые вспоминают о прошедшей войне, причем «артиллеристов называли уже не иначе как "чужеспинниками"». Руку даю на отсечение, что они называли их «захребетниками»! Голову дам, да чего мелочиться — четвертуйте меня!

«Шарлотта увидела также мертвых лошадей».

«Эта встреча ни на волос не изменила».

«Не возлагала особенных надежд».

«Образ искалеченной мебели ставил нас в тупик».

«Она дотронулась своими грубыми пальцами крестьянки».

«Что до французского языка, на него мы смотрели скорее как на наш семейный диалект».

«Что до предполагаемой жертвы буржуазных взглядов, Альбертины…»

«Мы испустили облегченное "уф"!».

«Обменялись взглядами».

«Абсурдная Сибирь».

Отчего это в переводах с французского переводчик так часто норовит использовать словесные конструкции и выражения, в русском язы-

170

ке не встречающиеся, а если встречающиеся, то только в переводах все с того же французского? Почему вместо неподъемного «обменялись взглядами» не сказать простое «переглянулись», вместо «испустили» что бы то ни было — «вздохнули», вместо «не возлагала особенных надежд» — «не очень-то надеялась», вместо «пальцы крестьянки» — «крестьянские пальцы»? Почему «абсурдная», а пе «нслепая»? Или «дурацкая»? Почему не сказать: «Мы не понимали, как это можно было так испортить мебель?» («Образ»... «в тупик»... — и это детская речь?) А оборот «что до, плюс генетив» по-русски вообще неупотребителен, искусствен, привнесен гувернерами и простителен разве что той, что «по-русски плохо знала, журналов наших не читала и выражалася с трудом на языке своем родном».

На русский роман переведен двумя переводчицами, Ю.Яхниной и Н.Шаховской, все вышеперечисленные претензии — к первой, а также к тому факту, что не нашлось, по-видимому и к сожалению, литературного редактора, который помог бы унифицировать стиль перевода. Тяжкому и неблагодарному труду переводчика сочувствую, но многого, увы, простить не могу. Первая часть романа в переводе не только неудобочитаема, но и затемняет смысл, который, — как это выясняется к концу произведения, —

в том и заключается, чтобы найти адекватный язык для самовыражения. Помимо всего прочего, переводчик наносит несколько смертельных ударчиков смыслу романа, — скажу об одном из них.

Простые советские дети, герой и его сестра, слушают, как бабушка читает им меню обеда, данного в честь русской царственной четы в Шербуре, в 1896 году. Диковинные термины французской кухни звучат для них райской музыкой, тем более прекрасной, что смысл их непонятен. «Пулярка манером герцога Пармского. Спаржа в соусе муссэлен» и так далее. Подстрочное примечание сообщает: «Переводчик благодарит В.Похлебкина, которому принадлежит перевод меню». Безмерно уважаю Вильяма Похлебкина. Однако он — специалист по кухням мира, он не переводчик Макина. В одной из строчек меню есть слова, пока непонятные для детей, но играющие важную роль в романе. Звучат они так: «бартавелы и ортоланы, жаренные с трюфелями в сливках». Жаренные — понятно, но что такое «бартавелы и ортоланы?» Овощи? Дичь? Ангелы? Что-то волшебное и потустороннее? Вскоре в романе следует сцена, знакомая по воспоминаниям многим: дети стоят в очереди за какими-то вульгарными апельсинами или даже яблоками, но угрюмая и злобная советская толпа выбрасывает их и из этой жалкой очереди: унижение, пинки, дрожащие губы… Но зато у рассказчика и его сестры есть утешение, волшебные слова, ключи к райскому миру. Чтобы рассказать о нем, нужен небывалый язык, а мальчик знает только два слова на этом языке: бартавелы и ортоланы… Язык ангелов, глоссолалия, дорога в Дамаск, каббала! В моей душе лежит сокровище, и ключ поручен только мне!

Что такое эти «бартавелы и ортоланы», мы, не знающие французской кухни, узнаем лишь позднее: просто такие птички, дичь. Подумаешь. К этому моменту наш рассказчик уже хочет большего — ему мало кулинарного словаря, ему нужен ни на что не похожий, новый язык!

Переводчик же, пошедший на поводу у аккуратного и точного Похлебкина, слишком рано расшифровывает загадочные «бартавелы», делая их тем, что они есть: «красными куропатками». Магия убита, волшебство рассеялось, это всего лишь еда.

Понимая это, переводчик старается исправить положение. Поскольку «бартавелы» обернулись красными куропатками, надо перенести акцент на другие слова. Так, вместо магической формулы «бартавелы и ортоланы» появляются «ортоланы, жаренные с трюфелями», что, конечно, никак не поднимает дух ввысь. Слово «жаренные» не пускает.

Справедливости ради надо сказать, что дело не только в переводчике. В который раз повторю: русский человек притворяется французом, переодевается французом, всегда хотел быть французом, не может не быть французом, пишет по-французски, имеет в виду французского читателя/издателя. Читал французов. Заворожен. Пишет, «как они». Описывает Россию, как это делал бы воображаемый француз. Во всяком случае, создается именно такое впечатление. Вот, почти наугад: «Мы растворялись в снежном дыхании нашей родины». «Над Альбертиной сомкнулось белое безбрежье Сибири». «Иногда в медлительной гризайли этих дней мелькал отблеск наших былых вечеров». «Холодный ветер с Урала приносит в наши степи первое дыхание осени». «И снова реальная жизнь со всей своей наглой силой указала химерам их ничтожное место». «Ургенч, Бухара, Самарканд — эхо его маршрута отзывалось у меня в голове, будя восточный соблазн, мучительный и глубокий для каждого русского». Это уже не переводчик! Тут переводи — не переводи, ничего не изменишь. Так не пишет русский для русских (для себя), так пишет русский для французов (для «них»), как бы «понимая», что от него требуется, что «им» надо, чем привлечь «их» внимание. Блини рюсс, тройка рюсс. И этот стиль автор выдавал наивным французским издателям за «перевод с русского»! И они глотали эту пластмассовую наживку! *Mon Dieu*!

Попробую подытожить сказанное. Ну-ка, честно: нравится роман или не нравится? — Пожалуй, не нравится... Ну-ка, честно: хороший роман или плохой? — Пожалуй, хороший... Хорошо задуман, продуман, есть структура, есть точка схода всех линий; все повешенные ружья в свое время стреляют; все дороги ведут в Рим, все языки — в Киев; роман многоплановый, постмодернистский, постбартовский, постструктуралистский, непостфрейдистский (а где такой?); насыщенный культурными аллюзиями, в меру исповедальный... лента, кружево, ботинки, — что угодно для души. И в то же время вязкий, медленный, откровенно отдающий дань Прусту (без прустовской насыщенности), слишком серьезный, без неожиданностей, без юмора, слишком расчисленный, слишком эстетский, густо нашпигованный банальностями, клише, стертыми метафорами. «Отсвет улыбки оживил его суровое лицо», — не знаю, как по-французски, но по-русски — чудовищно, ножом по стеклу, мороз крепчал; зябко куталась; усталые, но довольные; — никогда, никогда нельзя было бы написать так по-русски в конце двадцатого века, и переводчик тут уж ни при чем. Отгоняю от себя страшную догадку: не потому ли автор бежал, эмигрировал во французский язык, что здесь, в русском, за это бьют?.. Не оттого ли мечтает о «межъязычье», что все свободные места в русском языке заняты, и нужен какой-то особенный «тур де форс», чтобы дать о себе знать? Дай ответ — не дает ответа.

Не знаю!.. Макин — не Набоков. Другой масштаб, другие запросы, другая предыстория. Странно и интересно, — нет слов, — видеть нам, пишущим русским, нам, русским, «посетившим сей мир в его минуты роковые» (они для нас всегда неизбежно роковые), как складывается судьба одного из нас на очередном витке российской истории, на очередном витке судьбы российской словесности. Странно видеть, как, уходя из сферы притяжения русской литературы, русский человек, надев чуждый ему костюм чужого языка, не мытьем, так катаньем, не криком, так шепотом заставляет обратить на себя внимание совершенно чужих и равнодушных в сущности людей, чтобы, отчаянно жестикулируя, объясниться по поводу того, откуда, как, с чем и зачем он к ним пришел. Пришел все с тем же багажом путешествующего циркача: траченным молью зайцем из цилиндра, разрезанной пополам женщиной, дрессированными собачками: «Сибирью», «русским сексом», «степью», картонным Сталиным, картонным Берией (как же без него), картонными лагерями, — пришел, и ведь добился внимания, и ведь собрал все ярмарочные призы.

Можно ли назвать всю эту историю поучительной? Характерной? Опять-таки не знаю.

Почти уверена, что в России — если говорить о премиях — Макину не достался бы ни тяжеловесный логовазовский «Триумф», ни надменный «Букер», ни суетливый «Антибукер», ни державные медальки госпремий, сомнамбулически пришпиливаемые к грудям награждаемых не читающим книжки Ельциным — ничего бы ему не досталось. Никто бы его не перевел, пусть и кое-как, не вернул бы в лоно материнского языка. А значит, не прочли бы мы его (почти наверняка), не узнали бы мы о его существовании и, наверное, стали бы бедней ровно на один странный, чужестранный, отстранный роман о русской, в конечном счете, жизни. Хорошо бы это было? Нет, нехорошо, несправедливо. В годы разброда и шатаний мы, я думаю, не настолько богаты, чтобы бросаться и таким диковинным свидетельством нашего существования, как этот словесный метис, культурный гибрид, лингвистическая химера, литературный василиск, который, если верить старинным книгам, являл собой помесь петуха и змеи, — нечто летучее и ползучее одновременно.

Без царя в голове[1]

В середине семидесятых годов на обеде по поводу открытия художественной выставки меня посадили рядом со старой дамой, шепнув, что ей девяносто, но она абсолютно все соображает. Мы разговорились, речь зашла о Николае II, и старушка, которая, как выяснилось, в свое время была чем-то вроде фрейлины при дворе, вздохнула: «Вот все говорят: тиран, тиран!... А собственно почему? У них за столом всегда такие свежие сливки подавали!..»

Такого рода логика, слегка безумная, становится все более популярной в России 1992 года. День ото дня крепнет миф о том, что до революции жизнь была изумительной (для всех), а уж с 1917 года свежих сливок будто бы не видел никто, кроме членов бывшего Политбюро, да и те, доползая до коллективного трона к мафусаиловым летам, уже не способны бывали переварить

---

[1] Статья написана для журнала "*The New York Review of Books*".

ничего, кроме минеральной воды. Одна знакомая, например, клялась мне, что ее дед, простой рабочий-наборщик, в начале века пропивал свою еженедельную зарплату в трактирах, а на оставшуюся мелочь покупал золотые кольца с изумрудами для жены, чтобы та не очень сердилась. Крестьяне купались в зерне. Пролетарии завтракали икрой. Жандармы были вежливы, торговцы честны, священники набожны, а все почему? — потому что у нас был царь. Сливки, изумруды, колокольный звон, пасхальные яйца Фаберже, честные и просвещенные купцы, порядочные женщины, прозрачные реки, полные севрюги, — туманные образы русского рая, золотого века мучают мечтателей, вызывая острые приступы ностальгии по тому, что вряд ли когда-либо существовало: в раю не бывает революций. Реальность оскорбительна для мечтателя: зеленая лужайка, издали манящая шелковой травой, вблизи оказывается утыканной консервными банками и окурками. А посему лучше всего отрицать реальность и любить свою мечту, воплощая ее в сказке о добром, заботливом царе, о сытом и благодарном народе и их взаимной симпатии. Похоже, что к этому типу мечтателей принадлежал и сам Николай Второй, убедивший себя в том, что простой народ добр и обожает царя, а толпу мутят смутьяны, которых надо поймать и хорошенько наказать, чтоб не смели, — ведомый этим заблуждением, он успешно погубил себя, свою семью, страну, империю, народ и цвет нации нескольких будущих поколений впридачу. В моем детстве был популярен анекдот о том, что Николай Второй посмертно представлен к ордену Октябрьской революции — «за создание революционной ситуации в стране». Был ли он профессионально бездарен? Или самодержавие было обречено? Или же обреченность самодержавия и должна была быть явлена миру в бездарности этого человека, не хотевшего и не умевшего править, а любившего только гулять, пилить дрова и фотографировать? Эти три подхода, три аргумента: человеческий, исторический и мистический соответственно имеют своих сторонников, и их споры никогда не были и не будут разрешены. Но в любом случае странная обломовская пассивность этого тихого голубоглазого семьянина, покорность судьбе в сочетании с самоубийственным упрямством и эгоизмом, роковые семейные обстоятельства (властная, истерическая супруга и смертельно больной наследник), роковые исторические обстоятельства (война с Японией, война с Германией) и, конечно, страшный конец в подвале уральского особняка — все в его жизни не перестает волновать воображение писателей и читателей во всем мире. И чем больше сказочных мотивов, мифологических клише можно высмотреть в истории жизни и смерти последнего русского царя, тем охотнее берутся за перо писатели и тем жаднее расхватывают книгу читатели.

«Последний царь» Эдуарда Радзинского, книга о жизни и гибели Николая Второго, стала в США бестселлером. Радзинский в свое время учился в Историко-архивном институте, а позже стал успешным драматургом. Драматург-мифотворец в Радзинском, очевидно, полностью победил и подмял под себя историка-профессионала. Вся книга в этом смысле представляет собой поле битвы этих двух ипостасей автора, и если драматург оставляет после себя триумфальные арки, то на долю историка остаются жалкие кротовые кучки. В книге не только нет ни одного примечания, но и библиографический список, похоже, представляет собой лишь орнаментальный завиток, модернистскую кариатиду, не утруждающую себя поднятием тяжестей, а просто радующую глаз прохожего. Издательство *Doubleday* подыграло автору; книга открывается картой, не более полезной, чем арабеска: на ней мирно сосуществуют Санкт-Петербург (уже в 1914 году ставший Петроградом, в 1924 — Ленинградом) и Куйбышев (до 1935 года называвшийся Самарой), а на месте Северного Ледовитого океана расположился Атлантический. На этой карте река Амур течет по кругу, другая река, неизвестная географам, смело соединяет Черное море с Каспийским; Россия и Сибирь разделены границей, зато Швеция и Финляндия — не разделены, и так далее. (Россия, конечно, фантастическая страна, но не до такой же степени.) Сам Радзинский, надо отдать ему должное, с первых же страниц книги заявляет о своем недоверии к любым свидетелям: «все свидетели — люди пристрастные», и даже приводит поговорку: «Врет, как свидетель». Поэтому он отметает все — все! — свидетельские показания об обстоятельствах гибели самодержца, отметает всю работу, проделанную другими, и хочет все сделать сам, разыскав добровольные, а не вынужденные показания участников расстрела. Это трудно: куда ни сунься, все лгут. И его трудностям я сочувствую. Но ложь, эта едва ли не главная человеческая слабость, именно и должна преодолеваться кропотливой работой историка, сходной с работой следователя; другое дело, что в России пробиться к правде труднее, чем где-либо. В какой еще стране хранители архивов дружно лгут тебе в лицо, уверяя, что нужных тебе документов не существует в природе? Но они же — капризна человеческая натура — тайно, с черного хода, в нарушение всех правил и рискуя своим положением, вынесут тебе «несуществующий» документ и, удовлетворив твое любопытство, автоматически введут тебя самого

182

в круг посвященных, лгущих, не имеющих права проговориться. Ты будешь отныне связан круговой порукой двойного стандарта. Ты будешь сам лгать новым, непосвященным искателям истины. И если ты проболтаешься, то ты подведешь людей, доверивших тебе тайну; напротив, ложь станет гарантией твоей порядочности. Такова Россия; неудивительно, что наши драматурги много лучше наших историков. Связанный обетами молчания, передвигаясь в мире шепотов и краденых документов, Радзинский долгое время не мог вести свое расследование открыто, а когда смог, то оказалось, что почти все уже сделано другими.

В результате расследования Радзинский выяснил то, что было известно и раньше, а именно: то, что ничего толком не известно. Вроде бы команда из 11–12 человек под руководством и при участии большевика Юровского расстреляла, а потом добила штыками в подвале дома одиннадцать человек: семью царя, трех слуг и доктора. Некоторые жертвы почему-то умирать не хотели: пули отскакивали от их тел и летали по комнате. Затем трупы были вывезены в лес, раздеты и ограблены. Выяснилось, что на женщинах были надеты корсеты, нафаршированные бриллиантами, вот почему отскакивали пули. Трупы были захоронены, на следующий день перезахоронены, причем двое почему-то сожжены. Когда через неделю после расстрела город захватили белые, было проведено расследование, но могила найдена не была. Некое захоронение обнаружено уже в наше время, могила вскрывалась дважды: в 1979 году и в 1991. По крайней мере двух тел не хватает. Что это означает? Были ли они сожжены? Или же не все погибли?

Драматургически книга выстроена замечательно. Все мы знаем, что царь кончил плохо, но те, кто хотел бы заново пережить всю эту историю с самого начала, теперь могут получить ее, поданную под шикарным соусом дурных примет и зловещих предчувствий. Действие разворачивается под шелест царских дневников, знаменитых своей пустотой и почти неприличной для самодержца ничтожностью. Гулял, пил чай… Гулял, пил чай… Эхом отдаются недоумевающие восклицания Николая в мгновения перед внезапной опасностью смерти. «Что, что?» — только и произнес он в Киото, в Японии, в 1891 году, когда во время его путешествия сумасшедший полицейский внезапно бросился на него и ударил саблей по голове. «Что, что?» — непонимающе переспросил он, выслушав смертный приговор, за секунду до того, как град пуль пронзил его в подвале дома Ипатьева в 1918 году. («Вот что!» — раздраженно закричал на это убийца Юровский и выстрелил. Действительно, что еще можно ответить?

С 1896 года, со дня вступления на трон, а если угодно, то с 1881 года, когда террористами был убит дед Николая Александр II, царь множество раз получал недвусмысленные сигналы: посмотри в лицо реальности, надо что-то менять, иначе будет плохо; он ничего не понял до последнего мгновения.) Таким же эхом, но не затихающим, а, наоборот, разрастающимся крещендо, отзываются в книге Радзинского и вещи. Когда, еще будучи женихом, молодой Николай получает долгожданное согласие своей красавицы невесты и дарит ей в знак любви брошь с бриллиантом, Радзинский опытной рукой приостановит сияние этого далекого апрельского дня и, прорвав завесу будущего, покажет нам обгорслые остатки этой броши, извлеченные из грязного пожарища, где сжигали сорванную с мертвой царицы одежду. И мрачными аккордами звучит мистический мотив роковой для царя цифры 17. 17 января 1895 года царь крайне неудачно произносит важную речь, сопровождающуюся дурными предзнаменованиями, 17 октября 1905 года вынужден подписать манифест, дающий России Конституцию: очень неприятный момент для царского самолюбия, причем произошло это день в день через 17 лет после крушения царского поезда в Борках, когда вся царская семья чуть не погибла. 17 декабря 1916 года убивают Распутина, обещавшего

Николаю, что с его смертью погибнет и царь, и страна (что и произошло); 1917 год — революция, а вернее, две: февральская и октябрьская, и, наконец, 17 июля 1918 года — расстрел. Мистика чисел и мелкие, но приятные сердцу обывателя зловещие предзнаменования — когда, например, церемониальный выстрел из пушки, заряженной не холостым, а боевым снарядом, чудом не убил царя, но ранил его однофамильца, жандарма Романова, — вся эта готика сильно способствует созданию напряжения в книге. О всем известной истории с Распутиным и говорить нечего: ее не использовал бы лишь очень ленивый. Повествование украшено прелестными деталями: императрица, властительница одной шестой части суши, продает старьевщикам старую, немодную одежду, но при этом спарывает перламутровые пуговички, заменяя их костяными или стеклянными.

К финалу книги напряжение достигает апогея и невозможно оторваться от чтения. Автор искусно замедляет действие, растягивая развязку и мучая читателя мельчайшими подробностями последнего пути царской семьи: ночью, в лесу, по болоту, пробирается кровавый грузовик с трупами… Или с полуживыми людьми?.. (Да или нет? Да или нет?..) И снова Радзинский ловко и в нужном месте прерывает рассказ, чтобы перебросить читателя на несколько лет вперед и показать мерцающую картинку: вот пожилой узник ГУЛАГа, пациент психиатрической больницы, уверенно рассказывает, что он и есть спасшийся царевич Алексей. Он похож на портреты Николая II, он страдает гемофилией, у него *cryptorchidism*, как и у наследника, и он без запинки и правильно отвечает на все вопросы, связанные с жизнью царской семьи, ставя в тупик врачей. А потом, вылеченный, вновь растворяется в пучинах ГУЛАГа, унося с собой какую-то тайну. А вот комнатная девушка Демидова, та, что закрывалась подушкой и визжала, когда ее расстреливали, та, которую добивали штыком, чей труп сожгли на краю шахты, — Демидова, кажется, доживает (как?) до Второй мировой войны, никогда не выходит из квартиры, где ее прячет брат, кричит по ночам...

Да можно ли было спастись от расстрела? Неужели? Не знаю, не знаю, словно бы говорит Радзинский, а сам подбрасывает все новые и новые намеки на то, что все может быть, на то, что КГБ знает много больше, чем говорит, на то, что убийцы — Ермаков и Юровский, например, — могли быть соединены страшной тайной — у самого места захоронения они недосчитались двух трупов и, боясь ответственности, могли инсценировать все что угодно: например, сожжение двоих (действие, действительно, представляющееся бессмысленным). И отсюда ложь и путаница в их рассказах: сожгли всех… нет, Алексея и царицу… нет, Алексея и Демидову… нет, нет, Алексея и еще одну женщину… Анастасию?

Главным хранителем, носителем и разоблачителем тайн в книге оказывается загадочный гость, старый чекист, по своей работе имеющий доступ к архивам и сведениям, которые недоступны другим, в свое время лично знавший одного из убийц и давно интересовавшийся историей гибели екатеринбургских узников. Как и полагается по правилам детективного жанра, он появляется в конце книги, безымянный и хихикающий, и предлагает свою версию произошедшего, вполне правдоподобную, красиво изложенную, но — ничуть не более правдоподобную, чем другие правдоподобные версии. Читателю предлагается поверить Радзинскому на слово в том, что такой старик действительно существует. Мы готовы поверить — при всей литературности этого персонажа — и в старика, и в его теорию, сводящуюся к тому, что во время последнего пути кровавого грузовика кто-то из охраны обнаружил, что двое жертв живы, и спас, припрятал несчастных. Как на косвенное свидетельство такой возможности старик ссылается на глухие данные о том, что жена шофера грузовика, большевичка, бросила своего мужа, а через несколько лет, умирая, послала передать ему, что прощает его. Из этого туманного факта делается вывод, что шофер мог признаться своей революционно настроенной жене в том, что он спас или помог спасти двоих, — и это ее возмутило. Нас должно потрясти и то, что малолетнего сына шофера звали Алексеем, как и Наследника.

Все могло быть, и это тоже могло быть!

На Западе, начиная с двадцатых годов, появлялось много мужчин и женщин, выдававших себя за царских детей. Самая знаменитая и несчастная фигура среди них — Анна Андерсон, чью идентичность с Анастасией признавали многие (а другие начисто отрицали). Расследование, с перерывами, тянулось десятилетиями. Два судебных процесса, прошедших в Германии, не дали официального ответа на загадку, ни положительного, ни отрицательного. Однако экспертиза почерка (независимо проведенная дважды), а также экспертиза формы ушей (процедура, в криминалистике считающаяся не менее надежной, чем отпечатки пальцев, но мало известная широкой публике) и другие научные методы привели специалистов к признанию полной идентичности Анны Андерсон и Анастасии. Тем, кого это интересует, можно порекомендовать книгу *Peter Kurth* "*Anastasia*: *The Riddle of Anna Anderson*", добросовестную, убедительно документированную и просто очень увлекательно и ясно написанную. Радзинский включил ее в свою библиографию, а пару страниц из нее и пересказал, кое-что переврав и напустив такого тумана, что вызвал мое подозрение. Это пошло мне на пользу: я достала книгу Курта и прочла. Вывод: поговорку «Врет, как свидетель» необходимо отнести к самому Радзинскому. Либо он книгу Курта не читал (и тем самым вводит в заблуждение читателей, отметая серьезные документы, приводимые Куртом, наравне с горами чекистского и свидетельского вранья), либо читал и не знает, что с этими документами делать. Понятно недоверие исследователя к самой возможности спасения принцессы, к личности Анны Андерсон, но, казалось бы, экспертиза немецких профессоров — слишком серьезная вещь, чтобы, отмахнувшись от нее, по-детски щекотать воображение читателя историей со сбежавшей женой шофера (который так и умер, вообще никому ничего никогда не сказав). Создается впечатление, что Радзинский, как опытный драматург, знает, что «неразгаданные тайны», мистические числа и зловещие приметы — инвентарь мифотворца — больше волнуют сердце читателя, чем трезвый анализ и научные экспертизы, что «тьмы низких истин нам дороже нас возвышающий обман». И, лишенный советскими обстоятельствами возможности пробиться к «низким истинам», вынужденный в одиночку разгребать завалы советской лжи, фантазий и мифов, он предпочел сделать упор на более сильную сторону своего

190

таланта, на умение не доказать, а преподнести. Ведь зловещий безымянный старик, коллега уральских палачей, в нужный момент появляющийся из-за занавеса, гораздо эффектнее немецких профессоров с их научными (а стало быть непонятными читателю) экспертизами.

Впрочем, любые придирки к Радзинскому меркнут на фоне того, что можно сказать о роскошно изданном альбоме фотографий, прокомментированном принцем Михаилом Греческим. Радзинскому сам жанр его труда позволяет увлекаться фантазиями и под каждую деталь подстегивать эмоциональную подкладку, но он по-своему честен и добросовестен, как импрессионист, изображающий собор в тумане: много мелких цветных точечек. Принц Михаил избирает тактику сумасшедшего дадаиста: рисует лошадь и подписывает: курица. Материал, загубленный принцем Михаилом, бесценен: это фотографии из домашних альбомов царя, в основном снятых самой царской семьей. Все они были фотографами-любителями, и на множестве снимков мы видим царевен с неизменными камерами в руках. Некоторые снимки отличные, другие — так себе, и от этого еще более трогательны. Семья ест, пьет, смеется, читает, прыгает с камня на камень, болеет, играет с собакой, садится на лошадь, обнимает грязных деревенских детишек, флиртует, учится, строит рожи, играет в теннис. Бродит по мелководью, засучив штаны и приподняв юбки. Валяется на пляже. Качается на качелях. И когда знаешь, что вот эту веселую и красивую девочку проткнут тупым штыком, вот эту, кокетливую, обольют кислотой и сбросят в ледяную шахту, вот над этой, застенчивой, будут издеваться в ее последние дни пьяные солдаты охраны — заставлять ее ходить в уборную с открытой дверью и комментировать ее действия с глумливыми смешками, — тогда особенно, своей кожей чувствуешь трагедию этой уникальной семьи, позволившей себе быть беззаботной, словно они простые люди.

Что может быть точнее фотографии? Что может быть проще, чем процитировать документ?.. Как что?.. Человеческая фантазия, страсть к мифологизации, любовь к сказкам и стереотипам! Странности начинаются раньше, чем сама книга: уже подпись к фотографии на фронтисписе гласит: «Во время поездки на императорской яхте "Штандарт" Алексей, в бескозырке, принадлежащей одному из моряков, играет в воде со старым чайником». На фотографии действительно Алексей, но на нем своя собственная, специально сшитая бескозырка, а в руках не чайник, а детская лейка. При всей своей личной «скромности» (на которой очень смешно настаивает автор) русский император мог себе позволить сшить больному сыну шапочку, а не одалживать фуражку у одного из своих подданных. (Разыгрывается миф: непритязательность царской семьи.) Далее, на первой же странице текста, принц Михаил уверяет нас, что он был одним из первых, кто увидел фотографии. Между тем Радзинский рассматривал эти же фотографии на двадцать лет раньше (и отметил, что они, как и дневники царя и царицы, почему-то не были засекречены). (Миф: КГБ якобы всесилен и вездесущ.) Свое предисловие принц Михаил заканчивает красивым, но лживым сообщением: якобы последней записью в дневнике Николая, за несколько часов до расстрела, были слова: «Боже, спаси Россию». На самом деле царь прекратил вести записи за три дня до гибели, и последняя запись гласит: «Погода теплая и хорошая. Никаких известий». (Миф: царь тонко чувствовал, он предчувствовал свою гибель, но больше думал о стране, чем о себе.) Далее, увлекаясь, принц полностью отдается своим фантазиям: якобы царевич Алексей назван в честь основателя династии Романовых, между тем как таковым был Михаил, а не Алексей, якобы Крым — часть Средиземноморья, а слово Ай-Петри якобы означает Святой Петр по-татарски (принцу Греческому приличествовало бы знать, что не по-татарски, а по-гречески); если принц видит на шляпе цветы, то он пишет «шляпа с перьями», если семья села на матрас, то принцу видятся трава и мох. Елку и лиственный кустарник он считает сосной, а ветки с крупными белыми цветами опознает как ветки цветущего тополя. Он превращает корь, опасную болезнь, в простую свинку, а Петра II, умершего в пятнадцатилетнем возрасте — в мужа Екатерины Великой. Он воображает, что Анну Вырубову, интимную подругу царицы, замечали не более, чем мебель, но поскольку история и сами фотографии свидетельствуют об обратном, то он пинает эту толстуху с другой стороны: с плебейским снобизмом противопоставляет «элегантный наряд» императрицы «безвкусным оборкам» подданной. И упорно, настойчиво, каждый раз, когда видит фотографию царской семьи, бродящей по колено в воде, называет эту воду «невыносимо холодной, ледяной, замерзающей» (тем самым выстраивая миф о спартанской выносливости русского императора).

Эта вода, надо сказать, меня доконала. Упорный стереотип, утверждающий, что в России бывают только морозы и более никакой температуры, стереотип, с которым я встречаюсь постоянно, простителен жителям экватора, но никак не европейцам, и уж никак не авторам роскошных альбомов, претендующих на родственную близость к российской императорской фамилии. Я проследила, насколько могла, происхождение этой легенды. Она, похоже, берет начало

194

от Амброджо Контарини, посетившего Москву в 1476—1477 году. Контарини пишет: «Страна эта отличается невероятными морозами, так что люди по 9 месяцев в году сидят в домах». Ему вторит Сигизмунд Герберштейн, побывавший в Московии в 1526 году. «Холод бывает там временами настолько силен, что… от страшного мороза земля расседается, в такое время даже вода, пролитая на воздухе, и выплюнутая изо рта слюна замерзает прежде, чем достигнет земли».

Я тоже очень люблю сказки, но, нахально пользуясь предоставленным мне случаем, хочу напомнить сказочникам, что сейчас — XX век, что глобальный климат изменился — вот и в Голландии зимой невозможно кататься на коньках по каналам, несмотря на многочисленные картины, изображающие это занятие, что Москва — это не Сибирь, и что в течение сорока лет моей жизни — и я клянусь — в Москве можно было плевать сколько угодно и куда угодно, чем многие и занимались, причем слюна каждый раз спокойно приземлялась в намеченный объект, не замерзая, ибо в Москве давно уже — много веков — обычный, умеренный, среднеевропейский климат. И что тем более тепло, и даже жарко, летом в Финском заливе, на котором расположен Петербург, моя родина — поскольку залив представляет собой плоскую, мелкую лужу, в которой купаются даже двухлетние дети, так что русскому императору, при всех его недостатках, не было необходимости «тренироваться», чтобы побродить по этой теплой, как суп, воде.

Начавшись с мифа, альбом мифом и заканчивается: последняя фотография изображает царевича Алексея с собакой, которая, якобы, разделила ужасную судьбу мальчика. Прошу прощения, но она ее не разделила. Хотя это всего лишь собака и хотя большевики — бесспорные чудовища, но вот эту именно собаку они не убили. Они застрелили другую собаку, чей трупик и был найден — наравне с оторванным женским пальцем, жемчужной серьгой и прочим — следователем Соколовым в 1919 году.

Принца Михаила Греческого попросили сделать несложное дело: написать несколько слов под четкими и ясными фотографиями. Дело облегчалось еще и тем, что в ряде случаев дневниковые записи поясняли смысл фотографий. Вот царевич пишет: «Папа заснул. Я подошел к его кровати с подушкой...» На фотографии — царевич с этой самой подушкой на голове. Он шалит. И вот встревоженный комментарий принца: «Почему он носит эту странную ткань на голове как тюрбан?» Эти беспомощные подписи могут показаться истерически смешными. Мне не смешно. Мне бесконечно, тошнотворно грустно и оскорбительно, что ребенок по имени Болюс в индексе фотоальбома числится как домашнее животное (*pet*), что наплевательски небрежно перевраны топонимы, ландшафт, климат, история и география моей любимой и измученной страны — России, словно это далекие, геродотовские земли, населенные людьми с собачьими головами; что работники Российских архивов и западных издательств воображают, что дальний царский родственник по праву рождения больше годится в авторы комментариев, чем простой, но здравомыслящий историк, и потому можно не проверять его бессовестную, топорную работу. Все более популярный миф о мистике самодержавия неизбежно оборачивается обычным социальным расизмом, и — хотя это совсем другая история — русская православная церковь, причислившая царскую семью к лику святых, предпочла, как бы в насмешку над христианским учением, не заметить маленьких, истинно верных и добросовестных людей: доктора Боткина, повара Харитонова, слугу Труппа и служанку Демидову, расстрелянных за то, что не сбежали, не изменили, не предали, а до конца были верны своим хозяевам.

Сейчас в России модна суеверная мысль о том, что все наши несчастья последних семидесяти лет — возмездие за убийство царя, пившего такие свежие сливки. Раскаяние, конечно, бывает полезным. Но только если не забывать, что в одной яме, вперемешку, все эти годы наравне гнили кости того, кто их пил, и тех, кто их доставал, нагревал, подавал, а после убирал со стола монархические объедки и опивки. Тех, кто в отличие от своего «скромного и очаровательного» господина и «всегда элегантной» госпожи решили до конца выполнить свой профессиональный долг, как они его понимали.

Был ли царь виноват перед своим народом, либо, наоборот, народ перед царем, но они, наконец-то, воссоединились — после смерти, в братской могиле, в глинистой яме — и заслуживают того, чтобы сказать о них самое малое: правдивое слово. А если не можешь — то, по русскому обычаю, сними шапку и помолчи.

Здесь был Генис[1]

Александра Гениса не надо представлять русским читателям: они его знают давно и, судя по раскупленным тиражам, любят крепко. Впрочем, это так всегда говорится: «знают писателя», а на самом деле — знают ли? Кто-то даже и не читал его книг, а только слушал его голос на Радио «Свобода». Кто-то читал «Американскую азбуку», кто-то — заметки в гламурном, отсвечивающем под лампой журнале, кому-то попал в руки диковинный журнал «Антураж», каждый свой номер посвятивший какому-нибудь цвету — желтому или черному, а то и вовсе прозрачному; одни, может быть, представляют себе Гениса именно что прозрачным, вышедшим вон, теневым, смутным, дымным очертанием, — если приняли к сердцу его «Темноту и тишину», другие, напротив, — плотным и плотским, здешним, жующим и пьющим, с ножом и вилкой, знающим толк в пирожках и бульонах, — если

---

[1] Предисловие к трехтомнику А.Гениса «Раз, два, три».

предпочитали его увлекательные новеллы про лукулловы радости. Кому-то Генис воображается вечным путешественником: войлочная шляпа, голые коленки, альпеншток, вокруг радостно скалятся туземцы; для кого-то он — застывший в медитативном трансе полубуддист (но есть надежда), скрестивший ноги под подручной гудзонской сакурой, и лишь баржи да облака отражаются в зеленом зеркальном его глазу.

Генис объездил весь известный нам физический мир (да и неизвестный тоже). Однажды, имея кратковременное отношение к журналу «Вояж», специализирующемуся на туризме, я уговаривала его вести там колонку под названием «Здесь был Генис». Мы уже договорились, но проект развалился, а Гениса меж тем пригласили сотрудничать с «Плейбоем». Только приличие удержало его от того, чтобы устроиться в журнал про голых с колонкой под таким заманчивым названием. Но в «Плейбое» он тоже был.

Безмерная, направленная во все стороны любознательность, она же жажда постичь замысел Божий, движет Александром Генисом, как если бы он был последней, почти одинокой ренессансной фигурой, нелепой и прекрасной, — камзол, золотые бусы, берет с перьями, — голосующей на скрещении автострад, закапанных машинным маслом, на грохочущих мостах, на размотанных, словно бетонные бинты, эстакадах, с головой накрывших маленькие городки: подвезите вдаль! подкиньте до горизонта! подбросьте куда глаза глядят! Америка без любопытного Гениса была бы безвидна и пуста. Там, где пуговичные глаза современника, выдающего свою лень за пресыщенность, видят лишь бетон, да «Макдональдс», да мертвенный свет придорожных фонарей, Генис видит цветущий сад, слышит гул пятисотлетней истории. Словно волшебный тороватый купец, он привозит из дальних и ближних странствий и аленький цветочек, и тувалет хрустальный, и узорчатый кушак с подробными инструкциями по применению. Как носитель третьего глаза, он видит то, что ускользает от обычного зрения. Маленький городок, где живет Генис, на мой-то взгляд, состоит из горы, асфальта и домиков и, не успев кончиться, перетекает в другой маленький городок, а тот — в следующий, и так — без конца, между тем Генис уверяет, что каждый день ездит на велосипеде в лес и там разговаривает с бурундуками. Нет там, по-моему, никакого леса, но Генис его видит, просачивается сквозь щель в другую реальность — и вот он уже там: лежит на хвойной подстилке, и маленькие зверьки проходят сквозь него, как если бы он был прозрачным. И хвойные иголочки прилипают к шинам велосипеда.

Другая реальность — она всегда вот тут, где-то рядом, но, чтобы попасть в нее, нужен особый проводник. Так ифрит, извлеченный из бутылки, переносил Синдбада из Басры в Багдад: «Закрой глаза и открой глаза», — и Синдбад был уже в Багдаде. Как-то Генис предложил мне съездить в тибетский монастырь. Я прикинула, что это дорого, да и времени нет, да и не пустят. Конечно же, оказалось, что до монастыря ехать час, — как он это устроил, не знаю, — а в качестве бонуса можно заодно посетить и дзен-буддистский монастырь, где Генис в свое время был послушником и в полном молчании выложил дорожку из камней. Я, конечно, ни за что не поверю, что оба эти монастыря находились в Нью-Джерси: на самом деле Генис, полагаю, ловко отвел мне глаза и применил какие-то шаманские практики, но где-то мы, точно, были. Остались же фотографии: вот я, вот Саша, вот его жена Ира среди будд и мандал и каких-то красных кистей, свисающих с золотых светильников. Это Тибет. А вот серые минималистские камни, зелень, зримая тишина — это дзен, это вообще и нигде. А вот золотая — насквозь — осень, холодная водка в фольге, жаренные на костре сосиски, голубые горы на горизонте — все та же поездка. Когда спускались, спотыкаясь, с Гималаев в сгущающейся тьме, Генис вдруг как-то так махнул рукой, — и сбоку образовалась деревянная христианская церковь, будто открылась дверь в Норвегию или Кижи. Зашли в густую темноту и тишину храма ощупью, и я сфотографировала мрак вспышкой, наугад. Что там было внутри — мы узнали, только проявив фотографии.

Так это и осталось: где-то там, в Тибете, в темном лесу стоит темный дом с темнотой внутри, и мы не знаем о нем ничего. Только дома, в трехмерной нормальности, на твердом берегу, под яркой лампой разложишь проявленные картинки: а вот тут у них, оказывается, цветная лампада, а тут — деревянная перегородка, а это окно.

Генис-писатель, Генис-культуролог, Генис-кулинар, Генис-странник, Генис-голос — который из них настоящий? И знает ли он себя сам? В поисках себя он выходит в мир. А мир — это другое, иное, чужое, неизвестное и непознанное. «Только в диалоге с другим мы можем найти себя. Только выйдя за собственные — человеческие пределы».

Но насколько он возможен, этот диалог с «другим»? И как его вообще вести, какие задавать вопросы? И есть ли общий язык?

«Ближе всех в Японии я сошелся с переводчиком Сагияки-сан, который просил называть его Семой. (…) Он пригласил меня в свой любимый ресторан "Волга", где мы ножом и вилкой ели борщ и искали общий язык.

— Вы не знаете, — льстиво завязывал я беседу, — как пройти на Фудзияму?

— Понятия не имею.

— А сумо? Вы любите сумо, как я?

— Ненавижу.

— Может быть, театр? Что вам дороже — Но или Кабуки?

— Ансамбль Моисеева.

— Тогда — природа: сакура, бонзай, икебана?

Сагияки-сан выпил саке, закусил гречкой и ласково спросил:

— Часто водите хоровод? Давно перечитывали «Задонщину»? Играете в городки? Сын ваш — Еруслан? Жена — Прасковья? Сами вы — пскопской?

— Рязанский, — сказал я, приосанясь, но добавить к этому было нечего, и мы перешли на водку».

Генис искал себя через Японию, через своего рыжего кота Геродота, которому, по его словам, он благодарен за то, что кот позволяет ему жить рядом с собой, он пытался найти себя, заглядывая в свое подсознание по методу гештальт-психологии.

«Доктор начал сеанс, решительно уложив нас на узорчатые подушки. Потом он велел закрыть глаза и спускаться по воображаемым ступенькам, пока не начнется вымышленный лес. По нему следовало дойти до миражной речки, перебраться на отсутствующую сторону, залезть в несуществующую пещеру, чтобы найти в ней призрачный дар судьбы. Брезгливо проделав требуемое, я с удивлением обнаружил в пещере большой кусок угля. Он оттягивал даже воображаемые руки.

— Антрацит, мудила, — добродушно подсказало подсознание».

Доктор сказал Генису, что уголь символизирует талант. И даже предложил раздуть пламя. Выслушав этот рассказ в устном Сашином исполнении, я сию же минуту побежала к себе домой, чтобы проделать аналогичное путешествие. Закрыла глаза и стала спускаться по ступенькам, — они оказались желтоватыми, и в их трещинах росла трава, — потом прошла сосновый лесок и вышла на плоский и низкий берег сумеречной, медленной речки. В небе не гас северный июньский закат. Белая ночь, ныли комары. Услужливо нашлась черная полузатопленная лодка. Консервной банкой я вычерпала лишнюю воду и, загребая руками (вёсел подсознание не предоставило), перебралась на другой берег, высокий. Сырая вечерняя трава, пещера на полпути к вершине холма. В пещере были остатки костра, белый чистый пепел, черные головешки. Я порылась в пепле и вытащила берцовую кость.

Я не знаю, что это такое. Но теперь у меня зачем-то есть кость — благодаря Генису. И зачемто, почему-то я была там, куда без Гениса никогда бы не догадалась заглянуть.

«Мне до сих пор трудно отдать книжку в чужие руки, и я это делаю лишь тогда, когда убеждаюсь, что меня там уже нету», — пишет Генис. То есть мы ищем его в его текстах, открываем книги, отворяем двери, а он, стало быть, уже ушел, он в другом месте! Мы — за ним, а он — от нас, только следы, четко отпечатавшиеся на странице, еще хранят память о его присутствии, только уголь его таланта дымится — дым очага русской словесности, дым отечества, вечерний костерок, радость повара или грамотно притоптанный бивуак вечного скитальца, вечного путешественника? Мы — за ним, а он уже шагает куда-то с утречка пораньше; любопытный к миру и щедрый к нам, он опять уходит вперед, чтобы разведать, разузнать, приостановиться, присесть, рассказать и снова собраться в дорогу. Ну? идем? собрались? раз — два — три, — встали! Пошли! Куда? А вон туда!

Кот и окрестности

В новой книге Александра Гениса, вышедшей в издательстве «Вагриус», собраны три текста, разных по жанру и по стилю: «филологический роман» о Довлатове, очерк о Бродском и маленькая самостоятельная книжка с чудесным медленным названием «Темнота и тишина».

Тексты сошлись вместе, по прихоти автора ли, издателя ли, и у них, никак между собой не связанных, сейчас же возник общий знаменатель.

Конечно, так или иначе, в них речь идет о литературе, о словесности, о слове, но не Слово оказывается объединяющей темой, — это и так понятно, — а идея Другого.

«Прелесть кота не в том, что он красивый или, тем более, полезный, — пишет Генис. — Прелесть его в том, что он Другой.

Только в диалоге с другим мы можем найти себя. Только выйдя за собственные — человеческие пределы».

И далее: «Не только кот для нас, но и мы для него — тайна. Причем вечная тайна — нам не понять друг друга до гроба и за гробом».

Это из «Темноты и тишины», где речь идет не о коте, или не только о коте, но о мхе, облаках, дзэнских садах, Беккете, тени, море, молчании.

В попытке понять Другого, и, через него, самого себя, и написаны последние вещи Александра Гениса. «Книги о других пишут, когда нечего сказать о себе. В данном случае это не так. Я-то как раз ее и пишу, рассчитывая поговорить о себе». К этому разговору о себе и с собой присоединяется и читатель, — молчаливым, нелишним третьим участником.

Для меня из трех персонажей сборника — Довлатов, Бродский и Кот, — самым умонепостигаемым представляется Довлатов. Или можно сказать так: Бродский постигаем, Кот непостигаем и постигнут быть не может, Довлатов же — вот он, казалось бы, весь, лови его, — ан нет, он Другой, совсем другой, он не дается в руки, уходит от расставленных сетей.

Природа довлатовского таланта — и довлатовского успеха — с трудом поддается определению. Писатель он не массовый — не Маринина, — а успех у него массовый. У него не так уж много безупречных от начала до конца вещей, много слабых, вялых мест, расплывчатая форма; впадая в пафос, он становится плоским, афоризмы его неглубоки да как-то не очень и нужны. «Печаль и страх — реакция на время. Тоска и ужас — реакция на вечность». Ну, в общем, да.

Но это ничего не прибавляет к нашему знанию, не меняет угол зрения. Мрачный, мстительный и коварный в жизни, как описывает его Генис, запойный алкоголик, часто, с удовольствием и несправедливо обижавший многих, Довлатов при этом обладал редким обаянием, и его тексты этим обаянием пропитаны. Обаяние же — свойство, которое решительно не поддается никакому анализу, никакому объяснению, своего рода благодать. «Негативные» характеристики — мрачность, мстительность и коварство — не умаляют обаяния, а только подчеркивают: «и вот, несмотря на все это…».

Генис не злорадствует по поводу дурных черт довлатовского характера — он любит Сергея. И не только это. Читатель, Довлатова лично нс знавший, с каким-то даже облегчением открывает для себя довлатовское коварство, оно придает нужное измерение его облику, предстающему из довлатовских книг: зачастую слишком «милому», нерешительному, неопределенному. Злые шутки и обидные каламбуры, выведение живых людей — с именами и фамилиями — в книгах, то красное словцо, что дороже уютного, верного товарищества, — примеров Генис приводит множество. Не попрекнуть — это-то проще простого, но попробовать понять, как писатель интегрирует этот оскорбительный блеск в свои книги, как он не может без, не может не, каков механизм уникального писательского дара — одна из задач мемуариста.

Не могу сказать, что после прочтения романа Гениса мне стал понятен Довлатов или ясен секрет его обаяния, но Генис назвал, перечислил и сформулировал какие-то важные вещи, позволившие иначе взглянуть на его героя и на самого автора. Помимо Довлатова, в книге есть окрестности, — друзья, поколение, пейзаж, эпоха. «Довлатов назначил нас поколением», — говорит Валерий Попов. «Сергей стал голосом того поколения, на котором она (советская власть) кончилась», — пишет Генис. Так-то оно, может быть, и так, но Довлатов популярен и среди другого поколения, среди двадцатилетних, советской власти не заставших, но читающих его для «души», ради какого-то тихо льющегося из его прозы света. Казалось бы! Ну какой же свет из Довлатова! Уголовники, лагерная охрана, пьянство, шатание меж двор, бессмысленная жизнь, цепь неудач, нерешительность, вынужденное безделье и расплывчатые мечты. «По обе стороны запретки расстилался единый и бездушный мир». Но, может быть, именно приятие, неосуждение этого мира, оттого, что «ад — это мы сами», и делает Довлатова притягательным для молодых, особенно питерских, мальчиков и девочек. Мечтательные, безработные, способные, безвольные, невостребованные жизнью в свои лучшие годы, обделенные уже не советской властью, а нынешней, определения коей не подберу, они читают писателя, который и сам вроде бы такой же, — шляется по тем же улицам, выпивает с кем попало, спит где попало, не решается уехать. Довлатов впрок разрешил им эту жизнь, впрок описал ее, впрок усмехнулся над ней и собой. И чтоб не утонули вечно утопающие, протянул соломинку — юмор. Больше нечем спастись в волнах абсурда. Большие идейные корабли с гудками проходят мимо, не удосуживаясь приостановиться ради слабых, бесполезных и потерянных, довлатовская же соломенная лодочка всех подбирает. Чудесное довлатовское стихотворение приводит Генис:

Жабин был из кулачья,
Подхалим и жадина.
Схоронили у ручья
Николая Жабина.

Мой рассказ на этом весь,
Нечего рассказывать.
Лучше б жил такой, как есть,
Николай Аркадьевич.

«И простит, и пожалеет и о вас, и обо мне», — писал другой поэт по другому поводу.

Генис предлагает свое объяснение тому, что мне всегда казалось недостатком довлатовской прозы, — а я очень люблю прозу Довлатова. «Если в прозе нет фокуса, то она не проза, но если автор устраивает из аттракционов парад, то книга становится варьете без антракта. Чувствуя себя в ней запертым, читатель хочет уже не выйти, а вырваться на свободу. Чтобы этого не произошло, Сергей прокладывал картоном свои хрустальные фразы. (...) У довлатовской прозы легкое дыхание, потому что его регулирует впущенная в текст пустота».

Мне нравится это объяснение — вне зависимости от того, согласна ли я с ним. Больше всего мне нравится фраза «прокладывал картоном свои хрустальные фразы». Впрочем, Генис вообще мастер метафор, которые даются ему настолько легко, — так кажется читателю, — что он склонен ими злоупотреблять. Сам завороженный идеей пустоты, Генис неохотно впускает ее в текст. Он осмыслен, и даже слишком. Тут, возможно, я и не права, — может быть, мой «западный» глаз не улавливает «восточных» пустот, которые автор, искушенный в дзэне, расставил (напустил? вычел?) в подобающих местах. Генис не заготовил картона, в своем «филологическом романе» он прослаивает увлекательный роман о собственной жизни филологией опытного эссеиста. Это умно, это ловко сделано, но, на мой вкус, таинственная пустота необъясненного события дороже остроумного филологического сравнения. «Однажды в Гонконге мне подали морскую тварь, похожую на вошь под микроскопом. Когда ее опустили в кипяток, она стала совершенно прозрачной, что не испортило невидимого обеда. В литературе подобный фокус происходит тогда, когда...» — но читателю моего типа уже неважно, что происходит: завороженное идеей невидимого обеда, воображение предлагает веер вариантов, и тот единственный, что выбран автором, как кажется, обедняет палитру возможностей. Наверно, это происходит оттого, что Генис недооценивает свой талант блестящего рассказчика: в эссеистике он чувствует себя уверенно («Довлатовская книга настояна на Пушкине, как коньяк на рябине»), в художественном нарративе он словно бы тушуется, и напрасно.

«1972 год я встречал по месту тогдашней службы: в пожарном депо Рижского завода микроавтобусов... (...) Мои сотрудники... жили по-своему, и мораль их уходила в таинственные сферы беспредельной терпимости. Старообрядец Разумеев испражнялся, не снимая галифе. Полковник Колосенцев спал с дочкой. Замполит Брусцов не расставался с романом Лациса "Сын рыбака" и вытирался моим полотенцем. Капитан дальнего плавания Строгов играл в шахматы — час в сутки и пил трижды в год, но всё — от клея БФ до тормозной жидкости.

Вот в такой компании я и сел встречать Новый год. С закуской обстояло неопределенно. Сквозь снег пожарные нарвали дикую траву на пустыре и варили ее в казенной кастрюле до тех пор, пока бульон не приобрел цвет зеленки. Потом сняли клеенку с кухонного стола и ссыпали крошки в варево...»

Здесь каждое слово кажется враньем. На художественную выдумку указывают хотя бы аллитерации в пределах одной фразы: Брусцов, Лацис, полотенце. Между тем, это чистая правда.

«Прелесть кота не в том, что он красивый или, тем более, полезный. Прелесть его в том, что он Другой». Мне все больше и больше хочется — о Другом. О других. О том же Генисе.

К концу книги Генис приходит — и совершенно напрасно — к неожиданному выводу: «все, о чем можно рассказать, не стоит, в сущности, того, чтобы это делать». А вот это неправда. Рассказывать нужно, рассказывать стоит, здесь и сейчас, пока мы все не ушли к началу начал, в предвечность, в плодотворную и нерасчлененную темноту и тишину.

И хорошо, что Генис сам себя не послушался и рассказал.

Вкус ворованных яблок

Сколько раз ни покупаю себе книги Фазиля Искандера, каждый раз у меня их крадут. Уже исчезло штук пять. Можно, конечно, коварно предположить, что тут дело не в авторе, а в особенностях круга моих знакомых, но такое предположение мы с негодованием отвергнем. Не говоря уже о том, что это продолжается тридцать лет, других-то авторов у меня почему-то не крали, даже наоборот. Так, труды одного ныне обильно пишущего и бурно публикующегося прозаика, — впрочем, более популярного на Западе, нежели здесь, — у меня не только никогда не крадут, но приносят ко мне в дом и подбрасывают: пусть у тебя полежит. А потом еще и отрекаются, делают вид, что это не их книга.

А Искандера крадут. Некоторые книги мне сейчас особенно жалко, потому что это были практически старинные экземпляры, раритеты, советские инкунабулы, — экземпляры, раздобытые средствами нелинейными, можно сказать, ходом коня. «Дерево детства», беленькая, в бумажной обложке, была достана по блату в питерской «Лавке Писателей». В этой «Лавке» было два отдела: один для писателей, другой — для читателей, причем в том отделе, что для читателей, книг, достойных прочтения, не было: все большое помещение было уставлено скукотищей, нудьгой и унылищем. В том же отделении, что для писателей, были книги интересные, и именно поэтому читатели туда не допускались: диалектика. Разве что по блату. Придешь, бывало, ввинтишься в запретную дверь с невинным видом, как будто бы тебе и правда можно, — и все, роющиеся в кучках интересного, писатели поднимают головы с оскорбленным видом: эт-то что еще такое?

Ну, напускаешь на себя эдакую небрежность, словно ты не какой-нибудь ничтожный читатель, а право имеешь. Член семьи, может. Домработница Дудина. У Чепурова дитё выгуливаю.

Еще можно было достать любимого автора в Крыму, в Коктебеле, но не под Домом Поэта, не там, где те же члены Союза валялись за сеткой, вход по пропускам, как котики, зорко, впрочем, присматривая за газетным ларьком, чтобы не упустить заветной минуты, когда вынесут «Литературку», — тогда кто быстрей добежит, — нет, хитрый и неленивый отбредал в сторонку, за памятник морским десантникам, где густо и маслянисто, как в консервах, лежал пролетариат на деревянных, банного вида, индивидуальных мосточках, официально называвшихся «гелиолежаки». Ударение на последнем слоге. Там, у проволочной ограды, для культуры были расставлены столики с книжками на украинском языке, — твердая гарантия, что никто не купит. Вот если там хорошо порыться, то можно было выудить глубоко зарытый томик хорошего писателя. Один Фазиль Абдулович был куплен именно там, — нет, вру, не один, а два: себе и в подарок, но до дома довезен только один, а подарочный увели на пляже, пока купалась.

Еще был совершенно драгоценный по советским временам «ардисовский» том «Сандро из Чегема» с дивной, запрещенной главой «Пиры Валтасара», — собственно, из этого томика и стало очевидно, что то, что мы наивно принимали за отдельные рассказы, объединенные общим героем, есть цельный роман. Этот том среди прочей антисоветчины привез мой отец из-за какой-то заграницы, пристроив зловредные для режима томики на животе, под ремнем. Рассудив, что человек высокий и просторный во всех направлениях имеет право иметь живот сколь угодно большой — мало ли, поел на Западе, — отец накупил обожаемых авторов и напихал их в брюки в два слоя, плотно препоясался, сверху плащ, лицо сделал ложно-бдительное и вальяжно-государственное, очки роговые, вперед — и прошел.

Воротца с металлоискателем не дрогнули. Человеческий фактор, правда, на секунду усомнился.

— Это у вас что-то в карманах, или?..

— Или, — оскорбленно отозвался папа. (Бестактность какая. Какую фигуру Бог дал, такую и имеем.)

«Не жалея живота своего для чад своих», — приговаривал папа, выгружая Набокова, Искандера, Синявского и Битова.

…И эту украли, ну что ты будешь делать! Да что там, даже сейчас, когда, казалось бы, пошел и купил, без проблем, — стоило мне уехать на две недели в Америку, вернулась — на полке зияет провал; кто взял?..

В Америке, у моей родни, двухтомник 1991 года пока цел: они живут в лесу, и до них пойди доберись. Но в руки книга все равно не далась: стоило снять ее с полки, как первый том ушел к одному, второй — к другому, этот хохочет, попал на смешное место, тот задумался, попал на грустное, — а потому что родня, люди совершенно без совести и без сострадания к ближнему.

— Послушайте, вы еще успеете начитаться, мне же надо писать материал, отдайте книгу-то!..

— Погоди… Слушай!.. — Закладывают палец в книжку, чтобы не потерять место, читают мне вслух, мотают головой, истерически хохочут, перечитывают, тыкают освободившимся пальцем в меня. Да разве можно так: читать как попало, с середины, с любого места?..

Можно, можно. С любого места можно. С любого.

...Крали, крадут и, видимо, будут. Господи, да слава же Богу! Ведь человек крадет то, что ему нужно. Ненужного не берут. «Сандро из Чегема» — последняя полнокровная книга русской литературы уходящего века, последняя, пусть рухнувшая, мечта, последний взмах платком с отплывающего парохода, последняя сказка об империи с человеческим лицом, последнее свидетельство о том, как вот прямо на глазах, вот прямо на глазах лицо это искажалось, наливалось дурной кровью, превращалось — из светлого человеческого лика — в маску зверя; последний миф о наивном, хитро-невинном, простодушно-жуликоватом, величественном, ловком, гордом, сложном, щедром, мелочном, насквозь испорченном, ничуть не испорченном человеке, народе, племени; последняя притча об изгнании из рая; последняя надежда на то, что — руку протяни, обернись, — рай достижим; последнее обещание, что люди — братья, сыновья, отцы, тести и зятья, свекрови и невестки, любовники и троюродные тети, а не рыла. Двадцатый век, считай, окончен; что оставим, что возьмем с собой?.. Страшный двадцатый век, уйти бы из тебя вон, не оборачиваясь, но как Лотова жена, не в силах забыть очага и прялки, все же, не стерпев, обернемся… Мудрые глупцы, честные жулики, пастухи и философы, маленькой толпой стоят придуманные чегемцы, — мы это, мы сами стоим, самое лучшее в нас, самое простое, правильное, детское и честное в нас; они стоят, медля перед тем, как сойти с вершины, — сейчас сойдут, но погоди, задержались, оказывается, что-то еще мешает, — они стоят, и веет июньским ветром, и падают на разостланные бычьи шкуры невозможные, придуманные яблоки, — пожалуйста, погодите, не ешьте их, не надкусывайте, еще побудьте в раю, еще помедлите, еще стойте, где стояли. Ведь вы — это мы, если кто еще живой.

«…Непонятное волнение охватило меня. Мне страстно захотелось, чтобы и этот летний день, и эта яблоня, шелестящая под ветерком, и голоса моих сестер, — все, все, что вокруг, — осталось навсегда таким же».

Услышано. Сделано. Так будет. С днем рожденья, дорогой Фазиль Абдулович!

Памяти Бродского

Когда из дома выносят последние вещи, в помещении поселяется странное гулкое эхо: твой голос отражается от стен и возвращается обратно к тебе. Звон одиночества, сквозняк пустоты, потеря ориентации и тошнотворное ощущение свободы: все можно и все безразлично, ничто и никто не дает отклика, кроме слабо зарифмованного стука твоих собственных шагов. Не так ли чувствует себя сейчас русская литература: не дотянув четырех лет до конца столетия, она лишилась своего величайшего поэта второй половины двадцатого века, и дождаться нового ей в этом тысячелетии уже не придется. Иосиф Бродский ушел, и в нашем доме пусто. С самой Россией он расстался два десятилетия назад, пытался стать американцем, любил Америку, писал эссе по-английски, но Россия — цепкая страна: сколько бы ты ни вырывался, она держит тебя до последнего.

Когда человек умирает, в России принято занавешивать зеркала черной кисеёй — старинная примета, смысл которой забыт или искажен. Мне в детстве приходилось слышать, что это делают для того, чтобы покойник, который еще девять дней будет бродить по своему дому, прощаясь с близкими, не испугался, не найдя в зеркале своего привычного прежнего отражения. Иосиф за свою несправедливо короткую, но бесконечно богатую жизнь отразился в стольких людях, судьбах, книгах, городах, что в эти скорбные дни, когда он незримо ходит между нами, хочется набросить траурную вуаль на все любимые им зеркала: на великие реки, омывающие Манхэттен, на Босфор, на каналы Амстердама («голландцы — лучший народ на свете!»), на воспетые им воды Венеции, на кровеносную сеть Петербурга (сто островов — это сколько же рек?), — его родного города, любимого и жестокого, прототипа всех будущих городов. Там его — молодого мальчика — судили за то, что он поэт, а стало быть, бездельник — кажется, он был единственным в России, к кому был применен дикий свежеизобретенный закон, карающий за нежелание зарабатывать. Конечно, дело было не в этом — своим звериным чутьем они уже тогда прекрасно почуяли, КТО перед ними. Они отметали предъявленные им справки о каких-то копейках, полученных Иосифом за переводы стихов. «Кто вас назначил поэтом?» — кричали на него. «Я думал... я думал, это от Бога». Понятно. Тюрьма, ссылка. «Ни страны, ни погоста не хочу выбирать, // На Васильевский остров я приду умирать» — обещал он в юноше-ских стихах. «Твой фасад темно-синий я впоть-мах не найду, // Между выцветших линий на ас-фальт упаду…» Мне кажется, он потому и не хо-тел вернуться в Россию хотя бы на день, чтобы не осуществилось это неосторожное пророчество: ученик — среди прочих — Ахматовой и Цветае-вой, он знал их поэтические суеверия, знал и раз-говор между ними, произошедший во время едва ли не единственной встречи великих женщин. «Как вы могли написать (такие-то строки): раз-ве вы не знаете, что слова поэта всегда сбывают-ся?!» — упрекнула одна. — «А как вы могли напи-сать (такие-то строки)?!» — поразилась другая — потому что предсказанное ими и правда сбылось.

«Иосиф, вы поедете в Россию?» — «Навер-но». «Не знаю». «Может быть». «Не в этом году». «Надо бы поехать». «Не поеду». Все бросились в Россию — кто посмотреть, а кто и навсегда, — Бродский колебался, но остался. Я познакоми-лась с ним в 1988 году во время короткой по-ездки в Америку, а в Москве меня сразу позвали на вечер, посвященный Бродскому. Старый друг читал стихи Иосифа, потом исполнялась му-зыка, не имевшая к нему никакого отношения, но посвященная ему. Пробиться к концертному залу было невозможно, на улицах прилегаю-щих кварталов прохожих ловили за руки, умо-ляя продать «лишний билетик», зал охраняла конная милиция — можно было подумать, что ожидался рок-концерт. К своему ужасу я поняла, что на меня рассчитывают: я была первым живым человеком, видевшим поэта после многих лет изгнания. Что я могла сказать? Что можно сказать о человеке, с которым ты провел два часа? Я сопротивлялась, меня вытолкнули на сцену, я чувствовала себя идиоткой. Да, видела Бродского… Да, живого. Болеет. Курит. Пили кофе. Сахара в доме не было. (Волнение в зале: не обижают ли нашего поэта американцы? Как же без сахара?) Ну что еще? Ну, зашел Барышников, принес дров, топили камин. (Волнение в зале: не мерзнет ли там наш поэт?) А на каком этаже он живет? А что он ест? А что он пишет? Рукой или на машинке? А какие у него книги? А он знает, что мы его любим? А он приедет? Он приедет? Он приедет?

«Иосиф, вы поедете в Россию?» — «Я там никому не нужен». — «Не кокетничайте! Вам там проходу не дадут. Вас будут носить на руках — вместе с самолетом. Толпа навалится, снесет Шереметьевскую таможню и пронесет вас до Москвы на руках с песнями. Или до Петербурга. Хотите — на белом коне». — «Вот потому и не хочу. Да и мне там никто не нужен». — «Неправда! А как же маленькие интеллигентные старушки, ваши читательницы, — библиотекарши, музейные работники, пенсионерки, жительницы коммунальных квартир, которые боятся выйти на общую кухню со своим облупленным чайником? Те, что в филармонии стоят сзади, у колонн, где дешевле? Вы не хотите им дать поглядеть на себя издали, вашим настоящим читателям? За что вы их наказываете?» Это был нечестный прием! Бестактный и нечестный! Он или отшучивался: «Вот я лучше к своим любимым голландцам поеду», «Обожаю итальянцев, еду к итальянцам», «Чудные поляки! Они меня зовут», или сердился и тоже бил наотмашь: «Они не пустили меня на похороны отца! Мама без меня умерла — я просил — они отказали!» — «Кто отказал — ваши читатели?»

Хотел ли он съездить домой? По-моему, поначалу, во всяком случае, очень хотел, но не мог, боялся прошлого, воспоминаний, напоминаний, разрытых могил, боялся своей слабости, боялся разрушить то, что он сделал со своим прошлым в своих стихах, боялся оглянуться на прошлое, как Орфей на Эвридику, — и потерять его навсегда. Он не мог не понимать, что его единственный читатель, его настоящий читатель — там, он не мог не знать, что он — русский поэт, хотя он и убедил себя — одного лишь себя, — что он поэт американский. Он писал стихи по-английски, он переводил свои стихи на английский язык, он сердился на кислые порой рецензии, на очень близких друзей, решавшихся сказать ему, что — да, слова на месте, Иосиф, но стихотворения не получилось, потому что, знаешь ли, в английской поэзии другие законы... Ему ли было не знать все на свете о поэтических законах — да он сам их создавал! «Не говори Иосифу, но, знаешь, опять подходили американцы и спрашивали: "Скажите, это правда, что он действительно гениальный поэт?"» Что он знал и о чем догадывался? У него есть стихотворение о ястребе в горах Массачусетса, который взлетает так высоко, что поток восходящего воздуха не дает ему опуститься назад, на землю, и ястреб погибает там, на той высоте, где нет ни птиц, ни людей, ни воздуха, чтобы дышать. Так мог ли он вернуться назад? Зачем я и другие мучали его этими вопросами о возвращении? Мы хотели, чтобы ему было приятно, хотели, чтобы он видел, знал, как его любят — ведь мы сами так любили его! И я до сих пор не знаю, хотел ли он этих уговоров «съездить навестить», или же они терзали его больное сердце. «Иосиф, вас приглашают выступить в колледже. Вот две даты: февраль или сентябрь?» — «Конечно, февраль. До сентября еще дожить надо!» И, отрывая очередной фильтр от очередной сигареты, рассказывал очередной «черный» анекдот: МУЖ: «Врач сказал мне, что это — конец. Я не доживу до утра. Давай всю ночь напоследок заниматься любовью и пить шампанское!» ЖЕНА: «Ишь, какой умный! Тебе-то утром не вставать!» Надо ли было обращаться с ним как с «больным» — говорить о погоде и ходить на цыпочках? Приехал на выступление к нам в колледж, белый, как мука, измученный тремя часами дороги — для таких вызывают 911. Выпил вина, выкурил полпачки сигарет, блистал, читал стихи, стихи, стихи — курил и читал, наизусть, свои и чужие, и еще курил, и еще читал, и уже слушатели стали белыми от его антиамериканского дыма, а он был в ударе — порозовел, сверкал глазами, и еще читал, и еще. И когда по всем расчетам ему надо было лечь в постель с нитроглицерином под языком — захотел еще говорить, и отправился к гостеприимным хозяевам, издателям «Салмагунди», Бобу и Пегги Бойерс, и говорил, и пил, и курил, и блистал, и смеялся, и в полночь, когда уже побледнели стойкие и привычные хозяева и мы с мужем отвозили его в гостевой дом, его энергия выросла в той же пропорции, в которой наша упала. «Какие замечательные Бойерсы! Какой он умный! Какая она красивая! Как не хочется уходить из таких гостей — но мы их немножко замучили. А теперь будем общаться по-настоящему!» По-настоящему — значит по-русски. И мы просидели еще до трех утра в пустой гостиной гостевого дома, говоря обо всем на свете — потому что Иосифа интересовало все на свете, рыская по ящикам в поисках штопоров для новых бутылок красного вина, наполняя тихий американский приют клубами запрещенного дыма, тщетно обшаривая кухню в поисках остатков еды от дневного приема («Надо было припрятать *lo-mein*... Потом там еще была курочка вкусная... И холодную бы съели — надо было украсть! Ночью главный жор!») и разошлись под утро — мы полуживые, а Иосиф — как будто бы ничего.

Он с какой-то необыкновенной нежностью относился ко всем своим петербургским друзьям, щедро хваля их достоинства, которыми они не всегда обладали. Когда дело касалось человеческой верности, оценкам его невозможно было верить — все у него были гении, моцарты, лучшие поэты XX века — вполне в русской традиции, привязанность у него была выше справедливости и любовь выше правды. Молодые писатели и поэты из России завалили его рукописями — когда я уезжала из Москвы в Америку, мои поэтические приятели приносили свои сборники и совали мне в чемодан: «Он не очень много весит. Ты, главное, покажи Бродскому. Пусть просто прочтет. Больше мне ничего не нужно — пусть просто прочтет!» И он читал, и помнил, и передавал, что стихи хорошие, и давал интервью, захваливая счастливца, а они присылали и присылали свои публикации. У похваленных кружилась голова, некоторые говорили: «В сущности, в России два настоящих поэта: Бродский и я». Он создал о себе ложное впечатление патриарха-добряка, — но видел бы молодой писатель, имени которого не назову, как плевался и кричал, страдая, Бродский, покорно прочтя

228

зачем-то его рассказ с сюжетом, построенным на наслаждении моральной гнусностью: «Ну хорошо, хорошо, после ЭТОГО можно дальше писать. Но как он может после ЭТОГО жить?!»

Он никуда нс поехал — все приезжали к нему. Всех приехавших водили к нему. Все убедились, что он и вправду существует, живет и пишет — такой странный русский поэт, не желающий ступить ногой на русскую почву. Его печатали в России в газетах, журналах, однотомниках, многотомниках, его цитировали, на него ссылались, его изучали, его печатали так, как он хотел, и не так, как он хотел, его перевирали, его использовали, его превратили в миф. Опрос на улице Москвы: «Какие у вас надежды на будущсс в связи с выборами в новый парламент?» Слесарь N: «О, мне плевать и на парламент, и на политику. Я хочу жить, как Бродский, частной жизнью».

Он хотел жить, а не умирать — ни на Васильевском острове, ни на острове Манхэттене. Он был счастлив, у него была любимая семья, стихи, друзья, читатели, ученики. Он хотел убежать от врачей в свой колледж — тогда они его не догонят. Он хотел избежать собственного пророчества: «Между выцветших линий на асфальт упаду». Он упал на пол своего кабинета вблизи другого острова, под скрещенными линиями двойной судьбы эмигранта — русской и американской. «И две девочки-сестры из непрожитых лет, // Выбегая на остров, машут мальчику вслед». Он и правда оставил двух девочек — жену и дочку.

«Знаете что, Иосиф, если вы не хотите поехать с шумом и грохотом, не хотите ни белого коня, ни восторженных толп, — почему бы вам не отправиться в Петербург инкогнито?» — «Инкогнито?» — он вдруг не сердится и не отшучивается, но слушает очень внимательно. «Ну да, знаете — наклейте усы или так просто… Закройтесь газетой в самолете. Не говорите никому — вообще никому. Приедете, сядете на троллейбус, проедете по Невскому. Пройдете по улицам — свободный, неузнаваемый. Толпа, все толкаются. Мороженое купите. Да кто вас узнает? Захотите — позвоните друзьям из автомата, — можете сказать, что из Америки. А если понравится — позвоните приятелю в дверь: вот я. Просто зашел — соскучился». Я говорю, шучу и вдруг вижу, что ему совсем не смешно — и на лице его возникает детское выражение беспомощности и какой-то странной мечтательности, и глаза смотрят как бы сквозь предметы, сквозь границы вещей, — на ту сторону времени… он молчит, и мне становится неловко, как будто я подглядываю, лезу, куда меня не просят, и, чтобы разрушить это, я говорю жалким и бодрым голосом: «Ведь правда, замечательная идея?..»

Он смотрит сквозь меня и говорит: «Замечательная… Замечательная…»

Сахар и пар

Квадрат

В 1913, или 1914, или 1915 году, в какой именно день — неизвестно, русский художник польского происхождения Казимир Малевич взял небольшой холст: 79,5 на 79,5 сантиметров, закрасил его белой краской по краям, а середину густо замалевал черным цветом. Эту несложную операцию мог бы выполнить любой ребенок — правда, детям не хватило бы терпения закрасить такую большую площадь одним цветом. Такая работа под силу любому чертежнику, — а Малевич в молодости работал чертежником, — но чертежникам не интересны столь простые геометрические формы. Подобную картину мог бы нарисовать душевнобольной — да вот не нарисовал, а если бы нарисовал, вряд ли у нее были бы малейшие шансы попасть на выставку в нужное время и в нужном месте.

Проделав эту простейшую операцию, Малевич стал автором самой знаменитой, самой загадочной, самой пугающей картины на свете — «Черного квадрата». Несложным движением кисти он раз и навсегда провел непереходимую черту, обозначил пропасть между старым искусством и новым, между человеком и его тенью, между розой и гробом, между жизнью и смертью, между Богом и Дьяволом. По его собственным словам, он «свел все в нуль». Нуль почему-то оказался квадратным, и это простое открытие — одно из самых страшных событий в искусстве за всю историю его существования.

Малевич и сам понял, что он сделал. За год-полтора до этого знаменательного события он участвовал вместе со своими друзьями и единомышленниками в первом всероссийском съезде футуристов — на даче, в красивой северной местности, — и они решили написать оперу «Победа над Солнцем» и там же, на даче, немедля принялись за ее осуществление. Малевич оформлял сцену. Одна из декораций, черно-белая, чем-то напоминающая будущий, еще не родившийся квадрат, служила задником для одного из действий. То, что тогда вылилось из-под его кисти само собой, бездумно и вдохновенно, позже в петербургской мастерской вдруг осозналось как теоретическое достижение, последнее, высшее достижение, — обнаружение той критической, таинственной, искомой точки, после которой, в связи с которой, за которой нет и не может быть больше ничего. Шаря руками в темноте, гениальной интуицией художника, пророческой

234

прозорливостью Создателя он нащупал запрещенную фигуру запрещенного цвета — столь простую, что тысячи проходили мимо, переступая, пренебрегая, не замечая... Но и то сказать, немногие до него замышляли «победу над Солнцем», немногие осмеливались бросить вызов Князю Тьмы. Малевич посмел — и, как и полагается в правдивых повестях о торговле с Дьяволом, о возжаждавших Фаустах, Хозяин охотно и без промедления явился и подсказал художнику простую формулу небытия.

В конце того же 1915 года — уже вовсю шла Первая мировая война — зловещее полотно было представлено среди прочих на выставке футуристов. Все другие работы Малевич просто развесил по стенам обычным образом, «Квадрату» же он предназначил особое место. На сохранившейся фотографии видно, что «Черный квадрат» расположен в углу, под потолком — там и так, как принято вешать икону. Вряд ли от него — человека красок — ускользнуло то соображение, что этот важнейший, сакральный угол называется «красным», даром что «красный» означает тут не цвет, а «красоту». Малевич сознательно вывесил черную дыру в сакральном месте: свою работу он назвал «иконой нашего времени». Вместо «красного» — черное (ноль цвета), вместо лица — провал (ноль линий), вместо иконы, то есть окна вверх, в свет, в вечную жизнь, — мрак, подвал, люк в преисподнюю, вечная тьма.

А.Бенуа, современник Малевича, сам великолепный художник и критик искусства, писал о картине: «Черный квадрат в белом окладе — это не простая шутка, не простой вызов, не случайный маленький эпизодик, случившийся в доме на Марсовом поле, а это один из актов самоутверждения того начала, которое имеет своим именем мерзость запустения и которое кичится тем, что оно через гордыню, через заносчивость, через попрание всего любовного и нежного, приведет всех к гибели».

За много лет до того, в сентябре 1869 года, Лев Толстой испытал некое странное переживание, оказавшее сильнейшее влияние на всю его жизнь и послужившее, по всей очевидности, переломным моментом в его мировоззрении. Он выехал из дома в веселом настроении, чтобы сделать важную и выгодную покупку: приобрести новое имение. Ехали на лошадях, весело болтали. Наступила ночь. «Я задремал, но вдруг проснулся: мне стало чего-то страшно. (…) Вдруг представилось, что мне не нужно, незачем в эту даль ехать, что я умру тут, в чужом месте. И мне стало жутко». Путники решили заночевать в городке Арзамасе. «Вот подъехали наконец к какому-то домику со столбом. Домик был белый, но ужасно мне показался грустный. Так что жутко даже стало.

236

(…) Был коридорчик; заспанный человек с пятном на щеке, — пятно это мне показалось ужасным, — показал комнату. Мрачная была комната. Я вошел, — еще жутче мне стало.

(…) Чисто выбеленная квадратная комнатка. Как, я помню, мучительно мне было, что комнатка эта была именно квадратная. Окно было одно, с гардинкой красной… (…) Я взял подушку и лег на диван. Когда я очнулся, никого в комнате не было и было темно. (…) Заснуть, я чувствовал, не было никакой возможности. Зачем я сюда заехал? Куда я везу себя? От чего, куда я убегаю? Я убегаю от чего-то страшного, и не могу убежать. (…) Я вышел в коридор, думал уйти от того, что мучило меня. Но оно вышло за мной и омрачило все. Мне так же, еще больше, страшно было.

Да что это за глупость, — сказал я себе. — Чего я тоскую, чего боюсь?

— Меня, — неслышно отвечал голос смерти. — Я тут.

(…) Я лег было, но только что улегся, вдруг вскочил от ужаса. И тоска, и тоска, — такая же духовная тоска, какая бывает перед рвотой, только духовная. Жутко, страшно. Кажется, что смерти страшно, а вспомнишь, подумаешь о жизни, то умирающей жизни страшно. Как-то жизнь и смерть сливались в одно. Что-то раздирало мою душу на части и не могло разодрать.

Еще раз прошел посмотреть на спящих, еще раз попытался заснуть; все тот же ужас, — красный, белый, квадратный. Рвется что-то и не разрывается. Мучительно, и мучительно сухо и злобно, ни капли доброты я в себе не чувствовал, а только ровную, спокойную злобу на себя и на то, что меня сделало».

Это знаменитое и загадочное событие в жизни писателя — не просто внезапный приступ сильнейшей депрессии, но некая непредвиденная встреча со смертью, со злом — получило название «арзамасского ужаса». Красный, белый, квадратный. Звучит, как описание одной из картин Малевича.

Лев Толстой, с которым случился красно-белый квадрат, никак не мог ни предвидеть, ни контролировать случившееся. Оно предстало перед ним, набросилось на него, и под влиянием произошедшего — не сразу, но неуклонно — он отрекся от жизни, какую вел до того, от семьи, от любви, от понимания близких, от основ мира, окружавшего его, от искусства. Некая открывшаяся ему «истина» увела его в пустоту, в ноль, в саморазрушение. Занятый «духовными поисками», к концу жизни он не нашел ничего, кроме горстки банальностей — вариант раннего христианства, не более того. Последователи его тоже ушли от мира и тоже никуда не пришли. Пить чай вместо водки, не есть мяса, осуждать семейные узы, самому себе шить сапоги, причем плохо шить, криво, — вот, собственно, и весь результат духовных поисков личности, прошедшей через квадрат. «Я тут», — беззвучно прошептал голос смерти, и жизнь пошла под откос. Еще продолжалась борьба, еще впереди была Анна Каренина (безжалостно убитая автором, наказанная за то, что захотела жить), еще впереди было несколько литературных шедевров, но квадрат победил, писатель изгнал из себя животворящую силу искусства, перешел на примитивные притчи, дешевые поучения и угас прежде своей физической смерти, поразив мир под конец не художественной силой своих поздних произведений, но размахом своих неподдельных мучений, индивидуальностью протеста, публичным самобичеванием неслыханного дотоле масштаба.

Малевич тоже не ждал квадрата, хотя и искал его. В период до изобретения «супрематизма» (термин Малевича) он исповедовал «алогизм», попытку выйти за границы здравого смысла, исповедовал «борьбу с логизмом, естественностью, мещанским смыслом и предрассудком». Его зов был услышан, и квадрат предстал перед ним и вобрал его в себя. Художник мог бы гордиться той славой, что принесла ему сделка с Дьяволом; он и гордился. Не знаю, заметил ли он сам ту двусмысленность, которую принесла ему эта слава. «Самая знаменитая картина художни-

ка» — это значит, что другие его произведения
менее знаменитые, не такие значимые, не столь
притягивающие, словом, они — хуже. И действительно, по сравнению с квадратом все его вещи
странно блекнут. У него есть серия полотен с гео-
метрическими, яркими крестьянами, у которых
вместо лиц — пустые овалы, как бы прозрачные
яйца без зародышей. Это красочные, декоратив-
ные полотна, но они кажутся мелкой, суетливой
возней радужных цветов, перед тем как они, за-
дрожав последний раз, смешаются в пеструю во-
ронку и уйдут на бездонное дно Квадрата. У него есть пейзажи, розоватые, импрессионистиче-
ские, очень обычные, — такие писали многие,
и писали лучше. Под конец жизни он попытался
вернуться к фигуративному искусству, и эти вещи выглядят так страшно, как это можно было
предсказать: не люди, а набальзамированные
трупы, восковые куклы напряженно смотрят из
рамок своих одежд, словно бы вырезанных из ярких клочков, обрезков «крестьянской» серии. Конечно, когда ты достигаешь вершины, то дальше — путь только вниз. Но ужас в том, что на
вершине — ничего нет.

Искусствоведы любовно пишут о Малевиче:
«"Черный квадрат" вобрал в себя все живопис-
ные представления, существовавшие до этого, он
закрывает путь натуралистической имитации,
он присутствует как абсолютная форма и возве-

щает искусство, в котором свободные формы — не связанные между собой или взаимосвязанные — составляют смысл картины».

Верно, Квадрат «закрывает путь» — в том числе и самому художнику. Он присутствует «как абсолютная форма», — верно и это, но это значит, что по сравнению с ним все остальные формы не нужны, ибо они по определению не абсолютны. Он «возвещает искусство…» — а вот это оказалось неправдой. Он возвещает конец искусства, невозможность его, ненужность его, он есть та печь, в которой искусство сгорает, то жерло, в которое оно проваливается, ибо он, квадрат, по словам Бенуа, процитированным выше, есть «один из актов самоутверждения того начала, которое имеет своим именем мерзость запустения и которое кичится тем, что оно через гордыню, через заносчивость, через попрание всего любовного и нежного, приведет всех к гибели».

Художник «доквадратной» эпохи учится своему ремеслу всю жизнь, борется с мертвой, косной, хаотической материей, пытаясь вдохнуть в нее жизнь; как бы раздувая огонь, как бы молясь, он пытается зажечь в камне свет, он становится на цыпочки, вытягивая шею, чтобы заглянуть туда, куда человеческий глаз не дотягивается. Иногда его труд и мольбы, его ласки увенчиваются успехом; на краткий миг или на миг долгий «это» случается, «оно» приходит. Бог (ангел, дух, муза, порой демон) уступают, соглашаются, выпускают из рук те вещи, те летучие чувства, те клочки небесного огня — имени их мы назвать не можем, — которые они приберегали для себя, для своего скрытого от нас, чудесного дома. Выпросив божественный подарок, художник испытывает миг острейшей благодарности, неуниженного смирения, непозорной гордости, миг особых, светлейших и очищающих слез — видимых или невидимых, миг катарсиса. «Оно» нахлынуло — «оно» проходит, как волна. Художник становится суеверным. Он хочет повторения этой встречи, он знает, что может следующий раз и не допроситься божественной аудиенции, он отверзает духовные очи, он понимает глубоким внутренним чувством, что именно (жадность, корысть, самомнение, чванство) может закрыть перед ним райские ворота, он старается так повернуть свое внутреннее чувство, чтобы не согрешить перед своими ангельскими проводниками, он знает, что он — в лучшем случае только соавтор, подмастерье, но — возлюбленный подмастерье, но — коронованный соавтор. Художник знает, что дух веет где хочет и как хочет, знает, что сам-то он, художник, в своей земной жизни ничем не заслужил того, чтобы дух выбрал именно его, а если это случилось, то надо радостно возблагодарить за чудо.

Художник «послеквадратной» эпохи, художник, помолившийся на квадрат, заглянувший в черную дыру и не отшатнувшийся в ужасе, не верит музам и ангелам; у него свои, черные ангелы с короткими металлическими крыльями, прагматичные и самодовольные господа, знающие, почем земная слава и как захватить ее самые плотные, многослойные куски. Ремесло не нужно, нужна голова; вдохновения не нужно, нужен расчет. Люди любят новое — надо придумать новое; люди любят возмущаться — надо их возмутить; люди равнодушны — надо их эпатировать: подсунуть под нос вонючее, оскорбительное, коробящее. Если ударить человека палкой по спине — он обернется; тут-то и надо плюнуть ему в лицо, а потом непременно взять за это деньги, иначе это не искусство; если же человек возмущенно завопит, то надо объявить его идиотом и пояснить, что искусство заключается в сообщении о том, что искусство умерло, повторяйте за мной: умерло, умерло, умерло. Бог умер, Бог никогда не рождался, Бога надо потоптать, Бог вас ненавидит, Бог — слепой идиот, Бог — это торгаш, Бог — это Дьявол. Искусство умерло, вы — тоже, ха-ха, платите деньги, вот вам за них кусок дерьма, это — настоящее, это — темное, плотное, здешнее, держите крепче. Нет и никогда не было «любовного и нежного», ни света, ни полета, ни просвета в облаках, ни проблеска во тьме, ни снов, ни обещаний. Жизнь есть смерть, смерть здесь, смерть сразу.

«Как-то жизнь и смерть сливались в одно», — в ужасе записал Лев Толстой и с этого момента и до конца боролся как мог, как понимал, как сумел — титаническая, библейского масштаба битва. «И боролся с Иаковом некто до восхода зари…» Страшно смотреть на борьбу гения с Дьяволом: то один возьмет верх, то другой… «Смерть Ивана Ильича» и есть такое поле битвы, и трудно даже сказать, кто победил. Толстой в этой повести говорит, — говорит, повторяет, убеждает, долбит наш мозг, — что жизнь есть смерть. Но в конце повести его умирающий герой рождается в смерть, как в новую жизнь, освобождается, переворачивается, просветляется, уходит от нас куда-то, где он, кажется, получит утешение. «Новое искусство» глумится над самой идеей утешения, просветления, возвышения, — глумится и гордится, пляшет и торжествует.

Разговор о Боге либо так бесконечно сложен, что начинать его страшно, либо, напротив, очень прост: если ты хочешь, чтобы Бог был — он есть. Если не хочешь — нет. Он есть все, включая нас, а для нас он, в первую очередь, и есть мы сами. Бог не навязывается нам, — это его искаженный, ложный образ навязывают нам другие люди, — он просто тихо, как вода, стоит в нас. Ища его, мы ищем себя, отрицая его, мы отрицаем себя, глумясь над ним, мы глумимся над собой, — выбор за нами. Дегуманизация и десакрализация — одно и то же.

«Десакрализация» — лозунг XX века, лозунг неучей, посредственностей и бездарностей. Это индульгенция, которую одни бездари выдают другим, убеждая третьих, что так оно все и должно быть, — все должно быть бессмысленным, низменным (якобы демократичным, якобы доступным), что каждый имеет право судить о каждом, что авторитетов не может быть в принципе, что иерархия ценностей непристойна (ведь все равны), что ценность искусства определяется только спросом и деньгами. «Новинки» и модные скандалы удивительным образом не новы и не скандальны: поклонники Квадрата в качестве достижений искусства все предъявляют и предъявляют разнообразные телесные выделения и изделия из них, как если бы Адам и Ева — один страдающий амнезией, другая синдромом Альцгеймера — убеждали друг друга и детей своих, что они суть глина, только глина, ничего, кроме глины.

* * *

Я числюсь «экспертом» по «современному искусству» в одном из фондов в России, существующем на американские деньги. Нам приносят «художественные проекты», и мы должны решить, дать или не дать денег на их осуществление. Вместе со мной в экспертном совете работают настоящие специалисты по «старому», доквадратному искусству, тонкие ценители. Все мы терпеть не можем квадрат и «самоутверждение того начала, которое имеет своим именем мерзость запустения». Но нам несут и несут проекты очередной мерзости запустения, только мерзости и ничего другого. Мы обязаны потратить выделенные нам деньги, иначе фонд закроют. А он кормит слишком многих в нашей бедной стране. Мы стараемся, по крайней мере, отдать деньги тем, кто придумал наименее противное и бессмысленное. В прошлом году дали денег художнику, расставлявшему пустые рамки вдоль реки; другому, написавшему большую букву (слово) «Я», отбрасывающую красивую тень; группе творцов, организовавших акцию по сбору фекалий за собаками в парках Петербурга. В этом году — женщине, обклеивающей булыжники почтовыми марками и рассылающей их по городам России, и группе, разлившей лужу крови в подводной лодке: посетители должны переходить эту лужу под чтение истории Абеляра и Элоизы, звучащей в наушниках. После очередного заседания мы выходим на улицу и молча курим, не глядя друг другу в глаза. Потом пожимаем друг другу руки и торопливо, быстро расходимся.

Золото

Про золото ничего понять нельзя.

Оно всем нравится, всему человечеству, — и китайцам и европейцам, а уж жителям Малой Азии как нравится! Кажется, что золото и Восток неразделимы: зной, гордыня, роскошь, жестокость, искушение, опьянение земной властью, ненасытность, — это все одно и то же, это золотовосток. В Индии — если учесть, наряду с золотым запасом страны, все цацки, — больше золота, чем в американской казне. В Омане двери одного из банков покрыты золотом, — нате! Самое древнее золотое украшение сделано в Шумере 5000 лет назад — там же и примерно тогда же, когда было изобретено колесо. Золото — это солнце, а серебро — луна, все согласны, никто не спорит, алхимики хорошо это знали. Золото и серебро: свет и тень, мажор и минор. Золото — веселье и жизнь, серебро — грусть и умирание. Золото — жара, юг, день; серебро — холод, ночь, север. Золото — лето, серебро — зима; золото — песок, серебро — снег. Золото — смех, серебро — слезы.

Серое сумеречное серебро задумчиво, и все, что с ним связано, уводит к пониманию, вопрошанию, гаданию, к тайному знанию, к поискам смысла и причин. Сова Минервы — богини мудрости — вылетает ночью; гадают после захода солнца; тоскуют и воют при луне, просыпаются с сердцебиением и предчувствиями. Кто я? Куда иду? Что будет?

Золото глуповато, как вообще глуповата радостная и здоровая юность, не ищущая ни цели, ни смысла, ни счастья, потому что они уже есть здесь и сейчас. Счастливые часов не наблюдают, время не течет, пространство — это я в мире, а мир во мне. Быть — вот высшая радость. Не сомневаться, а ликовать. Золотой век цветет и плодоносит, серебряный — печалится и оглядывается.

Мало в чем люди согласны друг с другом, но тут уж всем консенсусам консенсус: золото лучше серебра. Все самое прекрасное — золотое: золотое сердце, золотые руки, эх, золотое было времечко! — и далее по списку до бесконечности. И дело не в том, что золото встречается в природе реже, и не в том, что оно так уж дорого, — были в свое время вещи и подороже: тюльпаны, корица, черный перец горошком, а платина сейчас в два раза дороже золота, только кого обрадует платина? — разве финансиста какого-нибудь. Вещь ценная, вещь нужная, но ни глаз не развеселит, ни в зависть не вгонит.

Советский марксисткий зануда шестидесятых скучно пишет о золоте: *«Отражая отношения людей в условиях стихийного товарного производства, власть З. выступает на поверхности явлений как отношение вещей, кажется натуральным внутренним свойством З. и порождает золотой и денежный фетишизм… Страсть к накоплению золотых богатств растет безгранично, толкает на чудовищные преступления».* Вот именно что безгранично! Ох, на чудовищные! Потому что власть золота никакими унылыми товарно-денежными отношениями не объяснить, оно сводит человека с ума, завораживает, зачаровывает, слепит, его не бывает мало, простое народное сердце рвется к нему, веселится, радуется даже поддельному. Над златом — чахнут, отказываются от еды и питья, все готовы отдать за него, убивают, стирают царства с лица земли. Выше него — сразу — только бог, жизнь и любовь, и потому, не жалея, не считая, знать ничего не желая о «стихийном товарном производстве», его жертвуют в храмы, — сдирают с пальцев кольца, выпрастывают тяжелые серьги из ушей, смиренно подносят цепочки, браслеты, кувшины и шкатулки, моля о выздоровлении, благодаря за спасение того, кто вернулся невредимым, за то, что чудо снова случилось.

Золото беспричинно: мы его не заслужили. Нельзя жить без азота или водорода, зачем-то нужны в таблице Дмитрия Ивановича дремучие хассий и гафний, без кальция мы шагу не ступим, — осядем наземь жидкой кучкой, но золото просыпано на нас просто так, от небесных щедрот, шутки ради. Оно ни вредно, ни полезно, практической пользы от него — кот наплакал. «Используется для тонирования фотографий» — а не тонируй, и дело с концом. «Входит в ряд медицинских препаратов» — входит, но не лечит. Но зато оно есть всеобщий эквивалент, тот общий аршин, которым мерят все, самый удобный, красивый, желанный, портативный, нержавеющий аршин на свете. Словно бы Творец в бесконечном остроумии своем решил: а дам-ка я им такую штуку, чтобы не гнила, не портилась, не тускнела, такую, чтобы с ней не скучно было, чтобы каждый ее желал, искал, берёг, играл с ней, выделывал из нее фигурки и висюльки, коробочки и шапочки, надевал на пальцы, вставлял в нос и в уши, — ведь они же дети, чистые дети!

Человек в одиночку много золота на себе не унесет. Тонна золота — это куб с ребром 37 с четвертью сантиметров. Под кровать влезет, только кто сдвинет ногой с места тонну? За всю мировую историю добыто примерно 150 тысяч тонн золота. Это цена двадцати российских бюджетов. Из этого количества можно изготовить пять Эйфелевых башен. Или рельсы длиной в расстояние от Москвы до Петербурга. Чтобы перевезти его, понадобятся 70 железнодорожных составов по 40 вагонов в каждом. А можно всю эту красоту взять и пустить на позолоту: например, покрыть ею шестиполосное шоссе вокруг экватора. А можно, наоборот, вытянуть золото в проволоку толщиной 5 микрон, — два километра этой проволоки весят 1 грамм, цена одного грамма около 19 долларов, меньше, чем бутылка хорошего вина, — и обматывать земной шар до посинения. А можно выковать прозрачный лист и читать через него книгу.

Можно заменить в автомобиле все хромированные части — руль, пепельницу, прикуриватель — на золотые, как делал Элвис Пресли. А можно, как индейцы исчезнувшего племени чибча, ежегодно с криками радости бросать в воды горного озера сотни золотых украшений несметной цены.

Ведь про человека, как и про золото, ничего понять на самом деле нельзя.

Кино

Я отчетливо помню момент, когда я разлюбила театр. Вернее, когда мои старания его полюбить были окончательно перечеркнуты. Было мне лет двенадцать, и наш класс сдуру повели в плохой питерский театр на плохую, мертвую постановку «Маленьких трагедий» Пушкина, — а вот не надо водить детей чувствительного возраста на бездарные спектакли, да и Пушкина лучше в театре не ставить, — мало ли что текст написан как пьеса. Не пьеса это вовсе.

Я очень, очень старалась полюбить зрелище, как мне велели: ведь это Пушкин, Большое Искусство, это Храм. Особая Атмосфера, и я должна испытывать Священный Трепет, но помнить при этом, что в Театре есть Театральные Условности. Я помнила, но когда пожилой дядька в камзоле с пышными рукавами, с большим бархатным животом, колыхавшимся над тоненькими мужскими ножками, грозно, как классный руководитель, вопросил: «Скажи, Лаура, который год тебе?» — и грузная тетенька гавкнула в ответ: «Осьмнадцать лет!» — ужасное смятение и стыд смяли меня. Мои одноклассники захрюкали. «Прекратите!» — зашептали взрослые Ценители Прекрасного. «Твой Дон Гуан безбожник и мерзавец! А ты — ты дура!» — крикнул дядька с такой силой, что при слове «дура» из его рта вырвался огромный конус слюнных брызг, как на противогриппозном плакате в поликлинике: «при кашле — до 1 метра, при чихании — до 3-х». «В дупель пьяный», — обрадовались мальчики. «Чшшш!» — возмутились Ценители. Тягомотина все длилась, потом Дон Гуан с Командором благополучно и нетаинственно провалились, и я думала, что уже всё, но оказалось — антракт, а потом еще столько же. К сожалению.

А ведь в театре было тепло, в зале приятно и сложно пахло, в фойе гуляли нарядные люди, окна были укутаны шторами из парашютного шелка, будто кучевыми облаками, у буфета богатые люди пили шампанское и с достоинством ели дорогие бутерброды с твердокопченой колбасой, — да, Храм. Наверно. Но не мой, и боги — не мои.

А вот совсем другое дело — кинотеатр «Арс», плохонький сарайчик на площади Льва Толстого. Там неудобные деревянные сиденья, там сидят в пальто, там проносят в зал мороженое в рукаве, и оно капает на ручки кресел, там мусор на полу. Там не встретишь «завзятых театралов», принаряженных дам, заранее оскорбленных тем, что они вынуждены провести три часа плюс антракт в обществе профанов, там надо цепко держаться за карманы, потому что тебя запросто обчистят в этой плебейской, базарной, лоскутной толпе. Там — всем на смех — выгоняют взашей пьяного, заснувшего на предыдущем сеансе и совсем не желающего выметаться вон, под дождик. Потом там гаснет свет, зажигается луч, минут десять тебя терзают киножурналом, — гордятся какие-то ткачихи, животноводы, всякая такая скукотень, только разжигающая нетерпение, — и опять краткий свет, и еще толпа вваливается и рассаживается, гремя сиденьями, — вонь от покуривших, перегар от непросыхающих, кислый запах псины от сырых пальто. Сейчас начнут. Это — счастье. Это — кино.

Они гасят свет медленно — у них реостат. Стрекотание проектора, удар луча и — всё, понеслось, перейдена черта, пройден этот неуловимый миг, когда плоский и туповатый экран — раз, и исчез, и стал пространством, миром, полетом, — сон, мираж, наркоз. Преображение.

В этом щербатом и нечистом «Арсе» я смотрела «Человека-амфибию», и ни за что не буду пересматривать, чтобы не разрушить колдовство, не рассеять морок далекого 1962 года. Хороший ли фильм? Что мне за дело! Пусть так и стоит перед глазами волшебное лицо Анастасии Вертинской, волнующе утонувшей (но сейчас ее спасет Ихтиандр), и красная (кажется) маечка ее, и зеленая (кажется) морская вода, простая советская вода, выдаваемая за далекую и иностранную. В этом «Арсе» я смотрела скучный фильм «Такова спортивная жизнь», — не помню про что, думаю, про спортсмена, забросившего свою любящую жену ради спортивной карьеры, а потом горько о том пожалевшего, — про что же еще? Помню только одну сцену: жена собралась помирать, утро, и на стене возникает огромный черный паук. И спортсмен — хрясь этого паука кулаком! И рыдает. И точно, она умерла. Дома я рассказала про то, как это было тревожно и неприятно, и мне объяснили, что это такая метафора. По примете, "*L'arraignee du matin — chagrin*", то есть, «Утренний паук — к несчастью». А вечерний паук сулит надежду. А дневной — любовь. А ночной — скуку. И с тех пор сутки для меня навеки распределены между пауками.

А потом в том же «Арсе» мне плюнули в душу — показывали какую-то голливудскую дешевку, и мало того, что красавица вдруг запела (мюзикл! убить!), но она еще и стала рвать откровенно бумажные цветы, предварительно воткнутые в отчетливо тряпичную траву! Подделка! Надувательство! Так важнейший сон с откровениями о смысле мироздания прерывается вульгарным звонком будильника. Мираж пропал, все сгинуло: я просто сидела в грязноватом зальчике, набитом чужими людьми — как меня сюда занесло? Прочь отсюда, меня обидели, скорее домой — сквозь всегдашние моросящие сумерки, мимо магазина «Рыба», через поповский садик с пьяницами, через трамвайные рельсы, через деревянный мост, в обычную жизнь. Чудо, граждане, отменяется по техническим причинам. Прах еси, и в прах возвратишься.

Ведь я простой и примитивный кинозритель, как большинство людей. От кино я жду полного преображения, тотальной иллюзии, окончательного обмана — «чтоб не думать, зачем, чтоб не помнить, когда». Театр на это не способен, да и не претендует. Он для взрослых, а кино для детей. Театр для тех, кто любит живых актеров и милостиво простит им их несовершенства в обмен на искусство. Кино — для тех, кто любит тени, сны и чудеса. Театр не скрывает, что все, что вы видите — притворство. Кино притворяется, что все, что вы видите — правда. Простая и единственная жизнь обычного человека пресна без добавок, поэтому одни пьют шампанское «брют», другие нюхают клей. Не все ли равно? Мне клею, пожалуйста.

Сахар и пар: последняя зима

(Неевклидово кино-1)

Если вы не видели фильм «Хрусталев, машину!», то вы в большой хорошей компании: режиссер, кстати, и сам его не видел. То есть кусками, конечно, видел, а целиком — нет. Снимая в течение восьми лет с перерывами, монтируя и перемонтируя, выбрасывая и добавляя, он, естественно, помнит каждую сцену и каждый кадр. Фильм у него в голове, со всеми вариантами и подробностями отснятого, а возможно, и со всеми вариантами и подробностями неотснятого. По мере того, как все больше и больше зрителей будут приходить в кинозал, куда режиссер их, кажется, не очень-то хочет пускать, баланс будет меняться в пользу посмотревших, пока наконец, в идеале, Алексей Юрьевич не останется один, в безумном и противоестественном положении человека, по каким-то сложным внутренним причинам не желающего пойти посмотреть эту необыкновенную, гениальную, ни на что не похожую картину. Тут-то мы его и пристыдим за упрямство, мракобесие и отсталость от современного искусства.

Но до этого еще далеко.

Пытаясь начать что-то говорить об этой картине, сталкиваешься сразу с несколькими трудностями.

Первая трудность: к кому обращаться — к меньшинству, посмотревшему фильм, или к большинству, что-то слышавшему о нем? Как быть с теми немногими, кто смотрел фильм два раза или даже больше? Учитывать ли тех, кто после просмотра обсудил фильм с приятелями? Тех, кто знаком с Германом и узнал массу интересного и странного, такого, что нам с вами никогда не узнать? Не все ли равно? — нет, не все, потому что я сильно подозреваю, что все эти люди смотрели (или посмотрят) разные картины. Подозреваю, что хорошо спланированный и правильно проведенный психологический тест показал бы, после всех замеров, что существует не один, а несколько фильмов под одним и тем же названием, — вложенные друг в друга, как шары бильбоке и друг сквозь друга проросшие.

Человеку, проведшему год в деревне, проспавшему, как Рип ван Винкль, *the talk of the year* и случайно забредшему на показ картины, скорее всего решительно не о чем будет говорить с теми просвещенными счастливчиками, что в силу обстоятельств и любви к режиссе-

258

ру имели шанс задать ему несколько вопросов и получить несколько разъяснений. Человеку, не знакомому с фольклором, сложившимся вокруг фильма, никогда не понять некоторых важных образов и сцен, на которых построен фильм, так, как это задумывалось его автором. Он поймет, но не так. Все это дело обычное, но хитрость в том, что нет ответа на вопрос: кто лучше посмотрел фильм? кому больше досталось? кто больше впечатлен? кто сильнее задет? Дурак с мороза, или друзья и родственники Кролика?

Вот, например, в фильме есть зонтик. Он несколько раз, падая на снег, полежит-полежит, и вдруг — жжях! — и раскрывается. Вот, скажем, это произвело впечатление. Можно думать (или чувствовать) по этому поводу все что угодно. Можно просто смотреть завороженно; что-то смутно тревожит, а фильм уже движется дальше, и вы, оцарапав сознание-подсознание зонтиком, не задерживаетесь на нем, ибо вам надо не упустить еще тысячу других образов. Можно (читали же вы книжки какие-нибудь) усмотреть тут какой-никакой фрейдизм (который, как известно, что дышло…) и, продолжая смотреть дальше, все же сделать себе зарубку: ага, этот эпизод встраивается в ряд мужской и очень нервной сексуальности, которой картина ну вся пропитана. Как, впрочем, и женской. Можно забрести мыслью в сторону: а зачем человеку зимой зонтик? Можно прочесть этот полезный предмет как символ жалкой попытки прикрыться, защититься, отгородиться (ведь стоит февраль 1953 года, господа, кто не спрятался, я не виноват. Сейчас всех посадят.) А можно сесть рядком, поговорить ладком с Петром Вайлем, горячим и верным поклонником Германа, который вам расскажет — со слов режиссера, — что саморасскрывающиеся зонтики в 1953 году производились только в Швеции, и, стало быть, принадлежит зонтик шведу, и вот поэтому в одной из сцен, довольно неожиданно, владелец предмета говорит: «я шведский журналист», — теперь понятно?

Решительно непонятно. Мне вот не удалось обогатить свою память всеми знаниями, которые накопило человечество, Бог миловал, и я ничего не знаю про Швецию в 1953 году, да и про сегодняшнюю, если на то пошло. Потеряла ли я что-нибудь, позорно утопая во тьме своего невежества? По-моему, нет.

Знание о том, что зонтик — шведский, не обогащает и не обедняет восприятие фильма, оно, в совокупности с множеством других знаний-незнаний способствует тому, чтобы аудитория предполагаемых зрителей, дробясь и множась, множась и дробясь, в конечном счете сформировала энное количество «групп», «народов», «культур». Фрейдисты — направо, юнгианцы —

налево, постмодернисты — в лес, добротные реалисты — по дрова. Экстраполируя это соображение в гипотетическую бесконечность, можно вообразить себе, что если бы фильм посмотрело все население Земли, то через какое-то время нетрудно было бы сформировать уж как минимум две команды зрителей, уверенных, что они посмотрели две полярно противоположных, совершенно не связанных и ничего общего между собой не имеющих ленты, и, поселись эти группы зрителей рядом, между ними вызрела бы на этой почве страшная, кинжальная междоусобица, религиозная рознь и взаимная культурная ненависть.

Мне бы хотелось чистоты эксперимента, зрительской невинности, но я ясно сознаю, что моя кинодевственность утрачена: я посмотрела фильм один раз, обсудила его с теми, кто смотрел его дважды, прочитала несколько пояснительных статей и поговорила с друзьями Кролика. Второй раз в эту реку я войду уже не на туманном рассвете, дрожа от предутреннего холодка и кутаясь в собственные волосы, а как минимум в подшитых валенках и шляпке. Более или менее представляя себе, где лилии, а где коряги.

Тот же зонтик: теперь я знаю, что он шведский, а когда смотрела фильм — не знала, и мне в моем незнании было очень хорошо. У меня возник свой собственный, удобный мне ряд ассоциаций. Спрашивается: вот сейчас, сообщая гипотетическому благосклонному читателю, собирающемуся в кино, про шведскость зонтика, я что — помогаю ему глубже воспринять богатство образной системы фильма или же отравляю удовольствие? По какую сторону райской ограды богаче существование? И надо ли откусывать от яблок, или пусть висят себе нетронутыми?

У меня нет ответа на этот вопрос; более того, пытаясь разобраться в этой первой трудности, я замечаю, что она буквально раздваивается под руками. Я не только в затруднении — для какого читателя я стараюсь найти внятные слова, — но и читатель, пока мой текст читал, уже изменился, от яблочка куснул. Так наблюдатель самим фактом наблюдения губит изучаемый материал; так луч света, непрошенно вторгшись в темное царство, приносит один вред: ослепнешь — и больше уж ничего не увидишь, ни на свету, ни в темноте.

Впрочем, я не очень раскаиваюсь в содеянном. Если бы на обложке детективного романа издательские доброхоты сообщали, кто убил, то это было бы безобразие и глупость. В фильме же Германа, сколько его ни пытайся пересказать, такое количество бесконечно переплетенных между собой образов и деталей, которые предполагают *столько толкований*, что хватит на всех.

Тут возникает вторая трудность. Пересказать фабулу фильма несложно, она давно всем известна, но как только перескажешь, так и соврешь. Попробуем так: некий генерал от медицины, большой человек, работает в некоей клинике, где сумасшедшим делают операции на мозге. У генерала — сын-подросток. В феврале 1953 года генерала арестовывают и везут куда-то в фургоне вместе с урками. Урки насилуют генерала. Затем, так же внезапно, как арестовали, генерала освобождают и везут на какую-то дачу, — как не сразу выясняется, сталинскую, где он должен вылечить вождя, но поздно, тот умирает. Генерал свободен, но, вернувшись к семье (а она уже выселена в другую квартиру), он понимает, что не может жить как раньше, и уезжает куда-то вглубь страны в компании новых, вполне опустившихся граждан. Если так пересказать содержание, то это фильм о том, как чудовищный режим губит достойного человека.

Или так попробуем: некая большая семья — мать, бабушка, сын, отец, двоюродные сестры, школьники, прохожие, пациенты, любовницы, москвичи, солдаты, сослуживцы, соседи, толпа на катке, шоферы, неизвестные люди. Народ. Отец-врач режет живые мозги пациентам, — можно сказать, насилует людей. Отца насилуют урки. Главный насильник-отец, Сталин, насилует всю страну. Сына пытаются насиловать его собственные кузины. Школьная драка — тоже насилие. Уличное побоище — насилие. Совместное проживание в перенаселенной коммуналке — насилие и мучительство. Даже утреннее чаепитие, когда в тесном, набитом людьми кадре никто никого не понимает и не слушает, тоже рождает ощущение насилия, о «любовных» же сценах и говорить нечего. Феминистки, считающие, что «секс — это насилие», радостно и злобно найдут в германовском фильме подтверждение этой мысли. Защитники животных тоже обрыдаются, глядя, как генерал поит собаку коньяком. Насилие и любовь неразрывны: изнасилованный, «опущенный» генерал мирно спит на плече у насильника. Плечо, оно мягкое. Привезенный на сталинскую дачу, генерал трепетно, на коленях целует руки палачу, умирающему в собственном дерьме. А потом бежит от семьи, бросая сына. «Либерти, бля!» — звучит в конце фильма с экрана. Поезд уносит его, опущенного и опустившегося, в никуда. Если так пересказать фильм, то он о том, что насилие рождает и поддерживает насилие, что зло разлито в самой плоти жизни, что мир есть сумасшедший дом и если ты режешь чужие мозги, то твои мозги тоже кто-нибудь разрежет. С одной-то стороны «либерти», но с другой — «бля», и наступление «свободы» означает одновременно обрушивание мира, с его устойчивыми, пусть мученическими, но зато и любовными, связями.

264

При желании можно вытянуть из картины любой многозначный образный ряд, как крепкую узловатую нить, прошивающую действие насквозь. Вот генерал делает вид, что пьет чай, но это коньяк в стакане с подстаканником; а на фургоне, в котором его мучают, надпись «Советское шампанское», а уезжая в конце фильма на открытой платформе, он на спор удерживает на голове стакан водки. Когда генерал убегает и прячется, спасаясь от ареста, бессмысленно и бесконечно повторяя вслух, словно бы мозг его стучит, как стучали бы зубы: «Едет чижик в лодочке, в генеральском чине... едет чижик в лодочке, в генеральском чине...», то зритель (русский) договаривает про себя: «...не выпить ли водочки по такой причине?..» Но только выйдя из зала, да и то не сразу, зритель сопоставит и противопоставит коньяк, и водку, и шампанское, и чай, и паровозный пар из чайника, и паровоз в последних кадрах... Кто стишка не помнит, тот и про водочку упустит. Водочку он, допустим, упустит, но, может быть, страшное это «шампанское» на машине, везущей людей, напомнит ему о «снижении градуса» (после коньяка), что среди пьяниц считается вредным. Социальный «градус» генерала, безусловно, тоже снижен насилием. Но «снижение градуса» также означает похолодание, а мотив холода тоже проходит, другой нитью, через фильм. Холод и сладость. Так, мальчику в фильме говорят: выставь, мол, задницу в форточку и ешь сахар — вот тебе и мороженое. Выпущенный из страшного фургона генерал садится голым задом на снег и ест сахар. А сам этот мотив задан с самых первых кадров, когда звучит блоковское стихотворение, со строкой «…мальчишке малому не сладки холода». Да и само шампанское есть не что иное, как холод и сладость, и опять-таки: насилие, оно имеет две стороны, одному — холод-смерть, другому — сладость. В этом нескончаемом переплетении, в этих эхо и отголосках смыслов нет никакой натяжки (как может показаться при изложении на бумаге), потому что Герман спускается в бессознательное, находит и использует глубоко лежащие архетипы. Архетипы же нас не спрашивают, сами проступают повсюду: от банально-романтического «как сладко умереть» (в ваших, к примеру, объятиях) до недавних российских ужасов, когда смерть, в виде взрывчатого вещества, была перемешана с сахаром…

Так что надо возвращаться в зал и смотреть фильм заново, а потом еще и еще, и нужны комментарии, и разговоры, и рецензии, да и знакомство с автором не помешало бы… но вот это уже нечестно, верно? Нормальные режиссеры играют по другим правилам: я снял — ты посмотрел, а трезвонить с утра в дверь с вопросами: «что вы там имели в виду?» не полагается.

Но Герман никоим образом не нормальный режиссер, и это та третья трудность, которую труднее всего обозначить. Сам язык фильма предполагает существование дополнительного измерения, никем, кроме Германа, в кино не используемого. Физики очень любят, объясняя профанам про «измерения», приводить пример с некоей двухмерной блошкой, которая живет на плоскости и не знает такого привычного нам «третьего» измерения. Блошка ползает туда-сюда по глобусу (она считает его не круглым, а плоским). Если ее вознести на некую высоту, с которой она увидела бы свой мир круглым, она почувствовала бы себя очень странно. Так же странно чувствует себя и зритель германовского фильма. Одновременное сосуществование нескольких планов на экране не всякий зритель может выдержать. Некто проходит по экрану на первом плане, на втором плане идет, причем невнятно, исключительно важный разговор, смысл которого прояснится через полчаса, на третьем делается что-то интересное, в углах тоже такие детали, упустить которые — себе не простишь. Действие снято то глазами сына, то глазами отца, то ничьими, а то, может быть, и нашими, что придает особый оттенок головокружению. Куда смотреть, что слушать, что важно, а что неважно, что непременно надо запомнить, а что можно пока пропустить? Или ничего пропускать нельзя, но как? Идеальный германовский зритель — семиглавый Змей Горыныч с фасеточными глазами и ночным зрением, с огромными углами, как у Вимм-Билль-Данна, начитанный и насмотренный, с крепким вестибулярным аппаратом, с отличной памятью и развитым ассоциативным мышлением, носитель гуманитарных, либеральных ценностей, — русский человек, каким он явится в развитии лет через двести, после парочки чернобылей.

Пока же — мы всего лишь слабые духом приматы, правда, с потенциалом, с искрой Божией, она же — способность ощущать Искусство и двигаться в его сторону, как змея на тепло. То, что перед нами Искусство — нет никакого сомнения. То, что такая высокая концентрация искусства может прожечь насквозь — не приходится удивляться. Один выпьет стакан спирта — и ничего; другой пригубит рюмочку — и ну кашлять с выпученными глазами и махать перед лицом рукой.

Кто может вместить — да вместит.

Пар в коридорах: бесконечная жалость

(Неевклидово кино-2)

Каждый мучает каждого, — не так чтобы до смерти, не насовсем, но зато ежеминутно: немножко толкает, немножко оскорбляет, немножко бьет, немножко насилует, отнимает, запирает, унижает, плюет, давит колесами, тыкает, разбивает голову, сдергивает штаны, если это в комнате, и ботинок, если на снегу, таскает за волосы, напевает, всрещит и кукарекает. Все, всегда и везде мучают всех: в комнатах, коридорах, проходах, переходах, в дверных проемах, в закоулках, в чуланах, на диванах, под столами, у окна, во дворах, в подворотнях, в парках и на катках. В трамваях, автомобилях, фургонах. Под раскачивающимся фонарем, за завесой метели.

Это фильм Германа, конец февраля 1953 года. Темные зимние дни — и все пар, пар. Из слепых окон бани — пар, изо ртов под ушанками — пар, от угольных утюгов — пар, от чайника. Мучают люди, мучают детали. Ужасная тяжесть чугунной скобы, холод оконного шпингалета, удушье форточки, осклизлые коммунальные нужники,

269

тюремный блеск масляной краски. Все черно-белое с едва уловимой желтизной, но не потому, что пленка такая, а потому что таким все и было, так и запомнилось. Февраль, метель, тусклая лампочка, пар, коридоры, непреходящее мучительство, источник коего неясен. Я помню пятидесятые годы, — это мое младенчество и мелко-раннее детство, — и клянусь под присягой, что они были именно такого цвета. Есть, говорят, такие отвары, испив которых, вспоминаешь то, чего и не хочешь вспоминать, то, что лежало глубоко, на деревянном днище памяти, заваленное сверху обломками поздних, взрослых лет. Глотнув, я уже не разберу, где Герман и где мои, всплывшие со дна, коряги.

«Всякий язык представляет собою алфавит символов, употребление которых предполагает некое общее с собеседником прошлое» — говорит Борхес. Это рассказ «Алеф»; *sapienti sat*. Для тех, кто почему-либо не *sapienti*, напомню сюжет: у некоего безумного поэта в холодном и неудобном подвале дома (лечь на каменный пол и смотреть снизу вверх на девятнадцатую ступеньку лестницы, на испод ее), — так вот, там находится Алеф, он же Бог, маленький светящийся шарик, объемлющий весь мир, вселенную, все бывшие и будущие вещи, понятия, предметы.

«Надо обязательно находиться в горизонтальном положении, лежать на спине. Также необходимы темнота, неподвижность, время на аккомодацию глаз», — объясняет Борхесу безумец. Борхес проделывает все необходимые процедуры, запирается в подвале, ложится на спину, и — «быть может, боги не откажут мне в милости, и я когда-нибудь найду равноценный образ, но до тех пор в моем сообщении неизбежен налет литературщины, фальши. Кроме того, неразрешима главная проблема: перечисление, пусть неполное, бесконечного множества. В грандиозный этот миг я увидел миллионы явлений — радующих глаз и ужасающих, — ни одно из них не удивило меня так, как тот факт, что все они происходили в одном месте, не накладываясь одно на другое и будучи прозрачными».

То, что Борхес придумал, Герман сделал. (Как — непонятно.) Именно это зритель и видит на экране: миллионы явлений, происходящих в одном месте, не накладываясь одно на другое. В одном месте или в одно время: это одно и то же. Время становится местом, а место — временем: Россия, точка на краю марта 1953 года. «Где», «когда» и «что» сливаются. Точка есть сумма всех точек; квартира есть сумма всех квартир. Квартира — это клиника, улица — это тюрьма. Все персонажи живут одновременно на одном и том же лобачевском пространстве; кукарекая и плюясь, они проходят друг сквозь друга по эшеровским маршрутам: идешь вверх, а приходишь вниз. Суммируемые обитатели квартиро-коридоро-чуланов находятся в броуновском движении; камера то кидается в погоню за ними, то останавливается и фиксирует обрывочное брожение персонажей. Бывает похоже, что смотришь в окуляр микроскопа, — на пробирном стекле короткими перебежками, ломаными зигзагами без видимой цели мечутся инфузории, или палочки, или вирусы, или братья по разуму, — зависит от разрешения оптики, или от вашего на то решения. Проскользит боком — и встанет, а потом раз! — и размножится, а не то хап! — и съест другого. А еще они вдруг начинают по очереди заглядывать в окуляр, прямо на нас, с той стороны ушедшего времени. Правда, без особого любопытства, да ведь им ничего не видно: это же глаз, то есть коридор, труба. Посмотрят — и отвалятся, и снова мучают, лезут, копошатся, плюют, терзают, бормочут, поят собаку коньяком. Там много и растерянно чувствуют, много кричат и плачут, но утереть слезы некому, и ангелам там места нет: забреди хоть один, его затоптали бы в толчее. Или надели бы ему таз с бельем на голову. Сам Герман говорит, что это его сны. Нет, это не сны. Сны мы видели. Это другое. Но что?

Боги отказывают мне в милости: я не могу найти адекватные слова, чтобы описать германовский Алеф; фабула же фильма в общих чертах более или менее известна. Генерал медицины (отец мальчика) живет себе, работает и пьянствует (вот уже неточно…); ему грозит арест, он пытается бежать, его ловят и везут; в фургоне его насилуют уголовники; наутро (да? нет?) его освобождают и везут к умирающему Сталину (он не понимает, что это Сталин: «это ваш отец?»), но поздно: Сталин умирает, мы видим озерцо отвратительной пены, выбежавшей изо рта; генерал целует «отцу» руки; Берия выбегает, крикнув: «Хрусталев, машину!», оковы вроде бы рухнули и свобода вроде бы встретила нас радостно у входа, или у выхода? — генерал свободен и идет домой. Но что-то случилось (что именно?), и он уже не генерал, не отец, не человек, не раб, не муж, не любовник, не житель никакой квартиры. Коридоры размыкаются, и на открытой платформе, удерживая стакан водки на голове, он уезжает куда-то — вон отсюда. «Либерти, бля!» — звучит перед самым концом фильма. «На х..!» — за кадром, в замыкающей последний кадр темноте. Отец умер; отца нет и не будет. Сын (который?) плачет, а дух святой бежал прочь, и его затоптали в коридорах. Удвоим это и утроим. Фрейд — не-Фрейд — это уж как мы с вами договоримся; и много, много отвратительной пены исходит изо многих ртов в этом рассказе, и в том смысле, и в этом, и еще вот в другом; но так же нельзя, господа! Нет, только так, наверно, и нужно.

Я «...видел слияние в любви и изменения, причиняемые смертью, видел Алеф, видел со всех точек в Алефе земной шар, и в земном шаре опять Алеф, и в Алефе земной шар, видел свое лицо и свои внутренности, видел твое лицо; потом у меня закружилась голова, и я заплакал, потому что глаза мои увидели это таинственное, предполагаемое нечто, чьим именем завладели люди, хотя ни один человек его не видел: непостижимую вселенную. Я почувствовал бесконечное преклонение, бесконечную жалость».

У того, кто видел лицо Бога, навеки искажается собственное лицо; современники Данте верили, что он и вправду совершил путешествие за предел, потому что его лицо было смуглым, как бы опаленным огнем Ада. Данте видел свой Алеф, и вот уж семьсот лет, как его читают и расшифровывают. «И я упал, как падает мертвец». У Германа впереди бездна времени: сейчас всего лишь конец двадцатого века. Что будет после, что ждет нас, — либерти, бля, или воющие, глухие, мучительные коридоры?

«...бесконечное преклонение, бесконечную жалость».

Крутые горки

«Сам! Сам!» — кричит Больной, он же Ленин, в фильме Сокурова, отбиваясь от попыток окружающих помочь — помочь подняться, сесть в машину, спуститься по ступеням, надеть штаны. А что «сам», что «сам»-то, половина тела парализована, ее надо волочить за собой; половина мозга не работает — разбилась, или лопнула, или потекла, или встала дыбом — как вообразить себе отказавший мозг? Вы выздоровеете тогда, когда сможете сами помножить 17 на 22, — говорит ему Врач, — как только помножите, так сразу и выздоровеете. Надо, значит, помножить, но как? Как это делают? Ну, как-то ведь делают… Нажимая карандашом, Больной крупно выводит в блокноте: 17 x 22, 17 x 22… Там крест посередине, он что-то значит, этот крест, через него множат… только как?.. Еще раз, крупно и криво, еще один крест — вотще.

Он не выздоровеет, а они не перемножатся, и ключ потерян, — булькнул и утонул в омуте поврежденного мозга, да и сами числа ничего ему не говорят, ни о чем не напоминают. Это зрителю видно, что в 17-м году Больной «сам» все разрушил, а в 22-м сам и разрушился, и не поможет ему множительный крест, ибо этот символ и в высшем своем, духовном значении для Больного — ничто, и ни ангелов для него нету, ни Бога, одно электричество, а значит, и умирать ему, уходить во тьму пустую, где, по пустому слову его, «электрон так же неисчерпаем, как и атом», да и того уж не будет.

Семнадцатый год на двадцать второй не множится, или же множится обильно и неисчислимо, — бедами, смертями, невинными и виноватыми жертвами, вороньем над белеющими в полях костями, голодными собаками над расстрельными ямами. В фильме ни бед, ни ужасов нет, есть только Больной, подстрекатель бед, виновник, участник и жертва. Он недоумер, он еще корячится. Но скоро.

Скоро, уже скоро. Наступает черед других. Они, собственно, уже тут, собрались и наступают, располагаются, занимают то пространство, которое прежде принадлежало ему, которое вроде бы еще и сейчас ему положено: всякий ведь имеет право на вершок личного воздуха вокруг лица, на опору под локтем, на сиденье стула, правда? Ан нет, неправда. Он уже и этого права лишен, он получеловек, и место его получеловеческое. И в огромном парке, и в огромном дворце в Горках, где анфилады комнат пустынны, приятно полутемны и осязаемо прохладны в душный июньский день, все — и челядь, и охрана, и Жена с Сестрой, — все норовят занять ту точку пространства, в которой скрючен Больной, словно бы он полупрозрачен, словно бы он уже не считается. Наступают на него, наваливаются, переползают через лежащего, передают тяжелую корзину через его голову, тарелкой с супом едва не задевают по носу, а в машине, для него же нарочно и снаряженной, чтобы ехать «на охоту», все сиденье заставляют и заполняют вещами, взятыми для его же удобства. Вот еда, плед, вот шофер и охрана, да и сама «жена и друг» широко расположилась, только ему, предмету их забот, сесть негде. И небо наваливается, душит облаками, продираемыми разве что изредка грозовым разрядом — нет, не гнев Божий. Электричество. Бога-то нет, это же все глупости. Есть только власть и насилие.

О насилии он думает постоянннно. Он был апологетом, знатоком, глашатаем и теоретиком насилия, он безжалостно бичевал (они это любили, бичевать) тех блеющих, трусливых овец, меньшевичков, пацифистов, архискверных Достоевских, которые дрожали и просили: не на-а-адо! Не на-а-адо насилия! Он твердо знал: надо. И вот теперь оно обернулось против него, теперь это его толкают, и не пускают, и бесцеремонно переползают через его полубеспомощное тело, и насильно стригут ему плотные желтые ногти на бесполезной, обмякшей ноге, и насильно пытаются надеть на него штаны, и насильно укутывают в простыни после насильственной ванны, которая — ой, нечаянно! — оказалась слишком горячей, — такое домашнее, дружеское, то сердечное, то равнодушное насилие, невыносимое до визга, до истерики. Он и будет визжать, будет бить палкой посуду, и они все, опасливо отскакивая, чтобы по ним не попало, станут закидывать его, как собаку, тряпками, скатертями какими-то. Экспроприированными, конечно, — откуда же у пролетариата скатерти. (Проще — ворованными, — говорит Сестра.) Насилие привычно, оно уже часть быта, часть домашнего, какого-никакого — среди чужих-то вещей — уюта. И верная Жена и друг, любящая, нелюбимая, неловкая, неряха во имя Идеи, вся невпопад, вся кое-как, будет читать ему домашним, уютным голосом выписки о насилии — как ноздри рвут до мозга, как порят до смерти — крест-накрест, и вдоль, и поперек. Заботливо, вовремя прочтет — на пикнике, среди океана белых-белых, прозрачных, невинных, июньских колеблющихся цветов.

А Больной хочет умереть. И тоже чтобы сам. Он просит у партии яду, а партия яду не даст. А вот хочешь — да не получишь. Насилие потому что. И газету у него из рук вырывают. И телефон будто бы не работает. И уехать нельзя — будто бы упавшее дерево перегородило дорогу. Он просит Жену уйти из жизни с ним вместе, а она не видит в том смысла. Она продолжит его правое дело после его смерти. Для дела ведь лучше, чтобы ей не пойти с ним туда, в темноту, где даже электричество все насовсем кончилось. Для себя ей ничего не надо, она не женщина и вряд ли ею когда-нибудь была, вот и шапочка на ней мусорная, горшком, — шапочка соратника; вот и чулки у нее рваные и спущенные, вот и читает она любимому посреди счастливого разлива белых цветов о вырванных ноздрях.

Но они не наедине и не вдвоем в цветах, нет покоя и в поле — там под березкой покуривает спрятанный охранник, и вон там фуражка другого, а там третьего, четвертого, — все прозрачное, пенное цветение заражено надсмотрщиками, как гнидами. Весь мир загажен, задушен досмотром, дозором, надзором; весь мир — цензура, весь мир — тюрьма, и не риторическая «тюрьма народов», а тюрьма вот этого, одного, единственного для самого себя, беспомощного человека. Все как он и хотел, все по слову его, да только повернутое против него же самого, ударившее воротившимся бумерангом, — ведь Бог, которого нет, отзывчив на просьбы, но насмешлив.

Что-то там в его искалеченном мозгу еще ше-
велится, что-то людское еще осталось, ему невыносимо, и он бросается оземь своим полутелом,
и ползет, ползет, ползет, как червь, как слизень,
как обрубок куда-то туда, куда-то в цветы, как
будто хочет уйти в землю — ибо на небо ему путь
заказан, — куда-то в землю, но не уйдет, не доползет, как не ушли, не доползли, не доползут
его жертвы, приговоренные им, обреченные,
убитые и еще не убитые, мирные, хорошие, в сто
раз лучшие, чем он.

…Господи, прости меня, как я его ненавижу!..

Не доползет, — его опять отловят и вернут на
место. В Горки приедет Сталин — так, на разве-
дочку. Подарит палку. Что же еще может пода-
рить тиран бодрый и готовящийся тирану чах-
нущему и гаснущему? Больной не узнает Сталина, да и можно ли ясно провидеть будущее,
если и настоящее для тебя — система темных,
непроходимых коридоров? Кто это был? Как его
фамилия? Он еврей? Нет? — жаль; с евреем, по
крайней мере, всегда можно договориться… Что
это в супе?! Палец?!

При чем тут палец, Володя, это же горох!!!

Он не понимает, кто к нему приходил и что
там, в супе, и не понимает, где он, и не понимает, почему он тут, среди этих дорогих, чужих вещей — люстры, мраморные статуи, анфилады,
тонкая посуда, белый чужой рояль, на котором —

по его же вине — никто уже ничего не сыграет, и чудные, пышные, опустелые сады, которых он не заслужил. Здесь у них никто ничего не заслужил, никто не знает, как быть дальше. Сестра ест свой суп из чужой посуды, держа тарелку на коленке, как бы в пути, как бы на пересылке, и когтит Больного, попрекает эгоизмом — умирать он, видите ли, собрался, а как же близкие, которые от него зависят? Они хотят жить. После всего, что они наделали, они еще хотят жить. И держать его живым, живее всех живых, чтобы кормиться вокруг него, чтобы загораживаться его еще живым трупом от той новой, страшной, нетерпеливой силы, которая обложила дом, притаилась за деревьями и ждет своего часа. Потому что после него придет и их черед.

А он и жить не хочет, и умереть не может. Он хочет только одного:

— Дверь, но закройте же дверь!..

Но уж этой-то роскоши ему никто не разрешит.

«Телец» — абсолютный шедевр, лучший фильм Александра Сокурова.

90—60—90

А мне, Онегин, пышность эта...

Мы хотим похудеть. А зачем нам, собственно, худеть? Ведь во многих культурах худоба не ценится, воспринимается как признак болезни. В русском языке «худой» — синоним «плохого»; в прошлом веке во всех слоях общества, кроме аристократического, любили «пухленьких», «полненьких», «лямпампончиков», восторгались «округлостями», в купчихах ценились «дородность» и «стати». «Богатое тело: хоть сейчас в анатомический театр», — говаривал тургеневский Базаров, скрывая эротическое восхищение под грубостью прозектора. На юге избыточный вес не вызывает возражений; московские толстухи всегда возвращались с курортов приятно удивленными: на Украине, смотрите-ка, любят необъятность, на Кавказе полагают, что «женьчин должен быть толстый и черный; если очень толстый — можно белый». Венера Милосская — приятная полноватая дама, «Три грации» тоже в теле. О женщинах Рубенса что и говорить. Неолитические же «Венеры» затмевают и их.

С другой стороны, культуры высшие, стремящиеся ко все большей утонченности (слово «утонченность» говорит само за себя), ценят в женщине худобу, бледность, воздушность, стройность, узкобедрость, плоскогрудость, устремленность ввысь, всяческую бестелесность.

Крестьянин уважает в бабе краснощекость, уездные же барышни пьют уксус, чтобы приобрести аристократическую бледность. Не женитесь на курсистках, они толсты как сосиски. Современная массовая культура тоже ориентирована на долговязость. Супермодель Кейт Мосс с пропорциями демонстрационного врачебного скелета кажется нам изящнее кустодиевских купчих. Пышность отталкивает, и если бы мы могли выбирать, мы отдали бы всех розовых, с ямочками, Венер перед всеми зеркалами за современный идеал красоты: журавлиные ноги, увенчанные стиральной доской.

Красота, безусловно, спасет мир

Существует множество теорий, — научных, шарлатанских и комбинированных, пытающихся объяснить механизмы привлекательности. Из самых безумных — вульгарно-марксистско-феминистские. Их можно придумывать не выходя из дому. Одна такая теория, например, гласит, что понятие «красоты» выдумано в XVIII веке мужчинами, а именно нарождающейся буржу-азией, в целях конкуренции, то есть с тем, что-бы отвлечь женщин от борьбы за рабочие места. Мужчина тряс перед женским носом кружевами и рюшками, заманивая их, как осла морковкой, в сторону, прочь от насущных проблем, подбра-сывая им гнилую идейку о их женской якобы привлекательности. Казалось бы, это так нестер-пимо глупо, что не стоит разговора, но в Аме-рике несколько лет назад эта теория имела бур-ный успех. Для страны с культурной амнезией XVIII век — это такая же глубокая древность, как для нас — эпоха опаринского бульона или же вы-ползания кистеперой рыбы на сушу, если тако-вое и правда имело место. (Не говорю: динозав-ров, так как в среднем американском сознании парадоксальным образом динозавры, не без по-мощи Спилберга, существуют в настоящем или даже будущем времени.)

К самым разумным теориям относятся те, что используют социобиологический подход. С точ-ки зрения социобиологии, то, что воспринимает-ся нами как «красота», есть система ухищрений, с помощью которых «природа» (что бы это ни значило) заставляет нас продолжать свой род, то есть постоянно воспроизводить жизнь. Цель жизни — жить, цель мира — быть (если суще-ствует и высшая цель или же жизнь после смерти, то это знание — за рамками социобиологии и по другому ведомству). Так что красота — это именно и буквально то, что спасет мир, заставив все живое соединяться и размножаться.

Может быть, он некрасивый, — может быть!

Подслеповатый материалист Чернышевский полагал, что жаба — вершина безобразия, глубже его эстетическая мысль не шла. Жабино личико, на человеческий взгляд, и вправду сильно уступает мордочке Клаудии Шиффер, но только на человеческий. Зверь бородавочник (вроде кабана, но весь в бородавках) нравится другому бородавочнику. Впрочем, внешность как таковая вряд ли имеет для них значение, скорее всего они ориентируются на обоняние: им кажется, что они пахнут как «Палома Пикассо». Но вот случай чистой эстетики: где-то в Австралии живет птичка, невидная собой, серенькая. В брачный период самец этой птички строит из голубых материалов арку. В ход идет все: перышки других птиц, цветы, бумажки, — лишь бы они были голубого цвета. Арка получается приличной высоты: в несколько раз выше птичьего роста, толщиной же едва ли не с человеческую руку. Закончив работу, самец разыскивает подходящую самку и, заманив ее на полянку, подталкивает к арке, приглашая полюбоваться работой. Любопытной самочке арка, по-видимому, кажется красивой (человеку — тоже). Если ей сооружение нравится, то она проходит под аркой и тем самым дает согласие на свои лапку и сердце, если же ей не нравится — она не пройдет ни за что, а повернется и улетит. Роскошная голубая дуга совершенно неутилитарна: она никак не используется в дальнейшей семейной жизни пары; строительство и украшательство нужны птичке только для статусных целей, для поднятия своего престижа в глазах невесты. А невеста нужна для размножения, а не для того, чтобы с ней чаи распивать.

То же и так же, с точки зрения социобиологии, и у человека. То, что в других системах отсчета кажется аморальным, в социобиологическом свете представляется необходимым. Например, тот печальный, в глазах моралистов, факт, что многие женщины предпочитают богатых женихов бедным, выбирают деньги, а не «бескорыстную любовь», объясняется все тем же жизненным импульсом: грубо говоря, богатый скорее прокормит совместно нажитых детей. Тот факт, что женщина при этом иногда детей иметь не хочет, неважен: глубинный импульс сильнее.

Социобиологический подход может и не быть истиной в последней инстанции, но он верифицируем и внутренне логичен, то есть отвечает научным требованиям. До известного момента он не противоречит и другим культурологическим методам и дисциплинам.

Талия в свете науки

Предположительно, заметный и приятный глазу перепад между талией и бедрами у женщины посылает мужчине сигнал (воспринимаемый бессознательно) о том, что данная женщина, во-первых, обладает достаточным размером таза, чтобы выносить ребенка, а во-вторых, не беременна (пузо не торчит), а стало быть, свободна и является отличным кандидатом для продолжения рода. Точно так же большой размер груди посылает сигнал о том, что потомство будет благополучно выкормлено и не помрет с голоду. Некоторых неразвитая грудь отталкивает «эстетически»: эта шифровка сообщает самцу на социобиологическом жаргоне, что данная особь женского пола наплодит дистрофиков, не стоит тратить на нее семя. С другой стороны, те, кому нравится грудь именно маленькая, социобиологически могут считать себя более разборчивыми: им подавай особь молодую, отборную, еще не рожавшую от других самцов. Это вполне совпадает с эстетическими критериями высших классов, выбирающих «худобу» и «бледность»: недостаток естественного вскармливания они, как традиционно более богатые, восполнят, недостающее (то есть грудь с молоком, едой) купят: наймут, например, кормилицу.

Так что наклеивание картинок с голыми бабами в непосредственной близости к рулю автомобиля (троллейбуса, автобуса, грузовика) надо воспринимать не с бытовой точки зрения («безобразие, ведь тут и дети ездят»), а с научной: визуальная перцепция молочных желез самки хомо сапиенса стимулирует самца того же вида, способствует его непрерывной самоидентификации как потенциального отца, производителя этих ездящих детей. Согласно несколько другой теории (тоже верной), руль, не говоря уже о самом средстве передвижения, является *penis extension* — продолжением пениса. Размер транспортного средства символически сигнализирует о сексуальном потенциале водителя-родителя, вернее, о его озабоченности этим потенциалом. Поэтому самые длинные машины — у президентов (и есть глубочайший смысл в том, что их прозвали «членовозами»), у внезапно разбогатевших людей (они спешат заявить о переходе в высший эшелон общества), а также у наиболее ущемленных социальных групп — например, у небогатых американских негров. (Очень старый, большой и ржавый драндулет может стоить 300 долларов, а может и того не стоить. За эти деньги можно бы купить и маленькую развалину, но социально ущемленному необходимо компенсировать свою ущербность размером восьмицилиндрового псевдопениса.) Все это происходит на бессознательном и оттого особо мощном уровне, когда человек сам не отдает себе отчета в мотивах своего поведения. (В свете вышесказанного символично, что героя фильма «Берегись автомобиля» зовут ДЕТОЧКИН. Социально ущербный Деточкин КРАДЕТ автомобили-пенисы у богатых, то есть осуществляет символическую кастрацию соперников, стоящих выше него на социальной лестнице. Временно изымая, заимствуя чужой пенис, он передает его в ДЕТСКИЙ САД, то есть сигнализирует о своем стремлении стать отцом. Умилявшая всех в свое время «интеллигентская мягкость» Деточкина есть мягкость физиологическая, импотенция. Своего пениса у него нет.)

«Тонкой» талия должна быть не сама по себе, не в абсолютном измерении, а в относительном: гетеросексуальных мужчин не привлекают тонкие талии мальчиков, так как мальчиковая фигура не имеет перепада между талией и бедрами. Современному глазу приятно соотношение 90—60—90, или 3—2—3 (объем груди — объем талии — объем бедер). Отчего именно эти цифры? Черт его знает. Если ваши измерения отклоняются в отношении крайних членов пропорции (то есть 100—60—100, а то и, страшно сказать, 110—60—110), — никто вам дурного слова не скажет, если, конечно, вы не считаете дурным словом свист вам вослед, кряканье, эханье, выкрики типа: «Во бабец!.. Эй, девушка!.. Вот это корма!.. Фьюю! Едрит твою за ногу!.. Витек, глянь!» — то есть вербальное недержание, вызванное выбросом гормона тестостерона в проходящих мимо или же ремонтирующих дорожное покрытие мужских организмах. Если же вам выпало передвигать на усталых ногах из овощного в бакалейный ваши 110—110—110, улица встречает вас приятной тишиной и шелестом листьев, не нарушаемым вульгарными выкриками, — мечта феминистки. Если ваши счастливые числа — 110—60—90, не ходите без попутчика. То же, если формула перевернута: 90—60—110 (120, 130, 140). С ростом цифрового значения третьего члена формулы крики потенциальных отцов становятся громче и восторженнее: они бессознательно приветствуют грядущие поколения, не берите на свой счет.

Любителям сейчас же применить эту теорию для прочтения культурных кодов чужих культур можно предложить поразмышлять над тем, почему во Франции традиционно живейший интерес вызывает телесный «балкон», а в Германии — «корма»? Не оттого ли, что французы больше озабочены вскармливанием потомства (оттого у них и кухня вкуснее), а немцев волнует лишь простое воспроизведение, отсюда и тяга к экспансии, и теории о чистоте расы?

Американская певичка в стиле "*country*" Долли Партон шесть раз подверглась операции по увеличению груди: одного раза ей показалось недостаточно. При этой операции в женскую грудь напихивают пластмассовые контейнеры с жидким силиконом. На взыскательный, «городской» взгляд Долли выглядит чудовищно: над вполне тонкой талией нависают урожайные мешки изобилия. Но ведь она и поет для соответствующей аудитории: для Среднего Запада, фермеров, народных, так сказать, кормильцев. Любуясь на закрома в Доллином декольте, простой американский народ бессознательно испытывает чувство уверенности в завтрашнем дне: кукуруза уродится, тельцы будут тучными, ребенок пойдет в колледж.

Но горе тому, чей верхний этаж от природы не меньше Доллиного, но бельэтаж и фундамент еще шире. В Америке проживает ненормально большое число людей, чья телесная пропорция выглядит как 130—200—180. (В моем детстве таких называли «промсосискакомбинат», но, может быть, это чисто питерское.) Говорят, что в результате неизвестно когда произошедших мутаций и близкородственного скрещивания в США завелся и упорно существует *obesity gene* — ген тучности. Так ли это или не так, но в Америке встречаешь больше жиртрестов, чем в любой другой части света. Они плачут на утренних ток-шоу: «муж велел мне похудеть, а я хочу, чтобы он любил меня такой, как я есть». Да мало ли что ты хочешь. Любить — то есть не чаи распивать, а именно что стремиться к воспроизведению, — муж и рад бы (иначе зачем женился?), но не может: на пути к нормальному функционированию организма встала социобиология. Супруги имеют несчастье жить в такое время и в таком обществе, когда полнота имеет негативные коннотации. Пришла проблема пола, румяная фефела, и ржет навеселе. Ничего не поделаешь, надо худеть, пока заезжие сильфиды не увели производителя.

Толстый и тонкий

Если главное для живого — выжить, как лично, так и передавая гены потомству, то различные понятия о красоте в разных культурах получают приемлемое объяснение. Почему толщина, тучность ценятся в некоторых культурах? Потому что они сигнализируют о том, что еды хватает, что данная пузатая особь прокормила себя — прокормит и потомство. «Богатое тело»' — глубоко укорененная, вырвавшаяся из глубин исторического сознания или подсознания метафора. «Худое тело» — плохое, бедное, голодное; и у детей будут зубы на полке. В культурах сельских, тесно связанных с наглядным производством еды, будь то плоды-зерно или мясо-рыба, зависимость толщины от достатка очевиднее, чем в культурах более сложных, городских, промышленных. В деревне богатство зримо, конкретно: оно в бочках, закромах, мешках, пучках и связках. В городе оно хранится в малоосязаемом, несъедобном, виртуальном виде: в предметах, деньгах, ценных бумагах. В голодные годы (война, осада, разруха), выпадающие хоть раз в жизни поколения, истинная ценность еды как источника жизни восстанавливается наглядно: во время ленинградской блокады меняли «драгоценности» на банку сгущенки. Когда еды опять много, то ценность ее падает, и богатство держат в сберкассе, а не копят на себе в виде складок жира.

Так, парадоксальным образом, в сытое время именно худоба становится признаком богатства. Настоящий миллионер тощ, карикатурный же пузан, сидящий на мешке с долларами, — это нувориш. Он пока что ест да ест, не подозревая о том, что тем самым задерживает свой путь в высшее общество.

А ну-ка, девушки!

Фигуры моделей *haute couture* на подиуме хороши, но как-то нереальны, условны. На пляже можно видеть куда более привлекательные фигуры девушек, которым в манекенщицы путь закрыт: слишком чувственные пропорции, слишком выразительные лица. Модель, при всей своей прелестной эфирности, должна выглядеть достаточно нейтрально, достаточно условно, чтобы на нее можно было спроецировать все неосознанные мечты, все бессознательные представления о высшем статусе. Современная модель — такая худая, что уже дальше некуда — посылает сигнал о таком богатстве (престиже, счастье, спокойствии за судьбу потомства), которое уже зашкаливает. В рамках ее узкого туловища есть место и для талии: это же не вешалка для одежды, а женщина. По-видимому, пропорция 90—60—90 — это оптимальная и в то же время достижимая формула, удовлетворяющая всем инстинктам. Бывают талии, всем на зависть, и тоньше, но тогда требуемые числа — скажем, 75—50—75 — трудно соблюсти. Где-то же и костям надо разместиться. А 90—50—90, — это, понятно, уже не модель «от кутюр»: ее сейчас же умыкнут в «Плейбой», откуда она, как радиомаяк, будет посылать совсем другие сигналы.

Современным Базаровым, пытающимся разгадать причины женской привлекательности, не нужен скальпель. Разрезав Анну Сергеевну, Базаров не нашел бы внутри ничего, кроме жировых отложений. Простой портновский метр и несложные арифметические подсчеты в уме — и результаты непременно порадовали бы пытливый ум лягушколога. Для уточнения результатов можно было бы попросить добрую помещицу, в строго научных целях, расшнуровать корсет… и проблема отцов и детей предстала бы совершенно в ином свете.

Лед и пламень

(К юбилею народного избранника)

Как-то раз две американские фигуристки Нэнси и Тоня готовились к олимпийским соревнованиям; Тоня, боясь, что Нэнси ее обойдет, подослала своего приятеля, чтобы тот во время тренировки подстерег Нэнси и хряпнул ее железным ломом по ноге. Так и вышло, Нэнси получила травму, Тоню же разоблачили и судили. Американцы были глубоко возмущены, Нэнси Кэрриган стала народной героиней, а Тоня (вот я даже фамилии ее не помню) — воплощением зла. При этом Нэнси была красивой девушкой — длинноногая, элегантная, а Тоня — на любителя: крепко сбитая, грубоватая, так что осуждать Тоню было легко и приятно. На Олимпиаде американцы очень болели за Нэнси, но вот досада: украинка Оксана Баюл каталась лучше и получила золотую медаль, а Нэнси досталось серебро. Тут были посеяны первые семена тревоги: ведь не может быть, чтоб американцы не были впереди планеты всей во всех отношениях. Даже если причиной невыигрыша был удар ломиком, — тем не менее. Американцы — нация не так чтоб жалостливая, любят только победителя, и слово *loser* — одно из самых страшных в их словаре. Но все ж таки своя, и Нэнси пригласили за 2 миллиона долларов порекламировать Дисней-лэнд. Кто бы сказал «нет»? Нэнси согласилась и под приветствия толпы, разряженной ради праздника в майки, шорты и бейсбольные кепочки, проехалась на рекламной платформе, вся в цветах и воздушных шариках, махая рукой. Рядом с ней махал лапой Микки-Маус, национальная мышь, — размером с небольшой амсриканский домик, черный, навеки осклабившийся, с белыми глазами-плошками, в белых вздутых перчатках. Все это показалось Нэнси очень глупым, и она пробормотала чуть слышно: "*oh, how cheesy*", что примерно это и значит. На груди у девушки был прикреплен микрофончик, о чем она забыла, и ее шепот расслышал один журналист, который немедленно донес на полу-чемпионку. Тут началось!.. Вся страна, разгневанная, поднялась на защиту народной мыши. Пресса бушевала, ТВ не умолкало, несчастную требовали к ответу! Обвинение состояло из двух частей: во-первых, как она могла, взяв два миллиона — не жук чихнул, — обронить дурное слово (хотя оно не было предназначено ни для чьих ушей, а любовь, понятно, даже за такие большие деньги не купишь), а во-вторых, как она, молодая и милая вроде бы девушка, могла дойти до жизни такой? Куда смотрела школа, родители? Как такой моральный монстр мог появиться в нашем, казалось бы, прекрасном обществе, где созданы все условия для счастья и личных достижений, где весь американский народ, как один человек, *from sea to shining sea*, в едином порыве пьет те же липкие конкурирующие колы, носит те же бейсбольные кепки, горячо и верно любит мышь? Да наш ли она человек, тем более что вот — и место заняла второе! Нэнси плакала по телевизору, просила прощения, оправдывалась, пыталась что-то объяснить. Но суровые лица простых тружеников... — далее см. материалы бухаринско-зиновьевских процессов. Существуй в Америке лагеря Мордовии, серебряная медалистка уже возила бы там тачку или корчевала пни.

Не веря собственным органам чувств, я спросила своих американских учеников, не кажется ли им глупым и недостойным так публично измываться над фигуристкой из-за какой-то там дурацкой... «Не троньте мышь!» — звенящим голосом крикнула студентка, сжимая кулачки. — «Вы любите это чучело?» — неосторожно удивилась я. — «Да!» — закричали все пятнадцать человек. — «Национальная гордость, никому не позволим!» — «И правильно этой твари по ноге врезали...» — хрипло сказал студент с темными от героина подглазьями. «Дисней — это наше детство!» В ежегодном отчете-доносе о моих преподавательских качествах эта группа написала, что я — черствая, зашоренная личность, не уважающая американскую культуру. Студенты, не участвовавшие в разговоре, были обо мне не в пример лучшего мнения. Думая, что это смешно, я рассказала об этом приятелю, американскому профессору-либералу. Он не засмеялся, но посуровел. «Не надо задевать Микки-Мауса», — сказал он с укоризной. — «Но вы-то, как либерал...» — «Не надо! Микки-Маус — основа нашей демократии, цементирующий раствор нации». Я попробовала подбить его на государственную измену: «Ну а если между нами... По-честному?.. Мм?.. Любите вы его?» Профессор задумался. Шестьдесят пять прожитых лет явно прошли перед его внутренним взором. Что-то мелькнуло в лице... Открыл рот... «Да! Я люблю его! Люблю!» Все же разговаривал он с иностранцем и план КВЖД за жемчугу стакан не продал.

Монстр существует с 1928 года; в этом году ему исполняется семьдесят лет. Киноэнциклопедия сообщает, что два первых фильма были немыми, но начиная с третьего его создатель, великий Уолт Дисней, самолично пронзительно пищал за свое детище на звуковую дорожку. Высадка американцев в Нормандии в 1944 году проходила под секретным кодовым названием «Микки-Маус» (представим Иосифа Виссарионыча, склонившегося с трубкой над планом операции «Буратино»); 50-летие Мыши праздновалось в Белом Доме (вообразим Чебурашку в Георгиевском зале, Суслова с Крокодилом Геной под блицами фотовспышек). Морда героя изображена на куртках, футболках, ночных рубашечках, пижамках, носках, свитерах, фартучках, портфелях, пеналах, карандашах, на обоях, на часах (предмет коллекционный); на детских бутылочках, на баночках, коробках, картонках, на бумаге, пластмассе, дереве, жести; сам он миллионнократно воспроизведен во всех известных человечеству материалах, безвредных для предполагаемого прижимания к груди. «Каков же был наш восторг, когда мы распаковали полученный от вашей компании приз!!! Спасибо, спасибо!» — надрываются некие микроцефалы из штата Иллинойс, правильнее всех заполнившие какие-то квадратики в каком-то потребительском опросе и в качестве награды получившие — ну что? что? ну как вы думаете? — правильно, долгожданные футболки с родным лицом на груди (по-американски щедро, на всю семью, включая мать уродов — бабушку, по ошибке еще не сосланную во Флориду доживать свой век). Семья видела грызуна триллион раз, но семье все было мало, мало, она хочет еще. Не насытится око!.. «На октябрьский праздник // Дедушка-сосед // Подарил мне в рамке // Ленина портрет. // Я портретом этим // Очень дорожу // И всегда с любовью // На него гляжу». Да, это он! Кто же еще описывается в таких терминах: «воплотил в себе лучшие черты человечества», «активный, положительный характер», «заслужил постоянное место в истории»? Один из плакатов с изображением Друга Всех Детей (*"a must have for your wall"*) находится по адресу *www.bigestore.com/artwork/32506.htm*; не пропустите. День рождения гадины — 18 ноября; детям рекомендуют отмечать его так: «Заставьте детей объяснить, кто такой ММ; пусть дети перечислят его друзей; посмотрите фильм, каждый раз, завидев ММ, пусть поют: *happy birthday to you*; изготовьте поздравительные открытки и развесьте по стенам...» Но ММ, так же как и ВИ, угрожает перестройка: в 2003 году образ его станет публичной собственностью, к 2006-му та же участь постигнет и фильмы, и компания Диснея (сам-то почил в 1966-м), в ужасе от грядущей дератизации, уже лоббирует в Конгрессе, прося продления прав еще хотя бы лет на двадцать. Иначе каждый встречный получит право распространять его лицо в его простой оправе *urbi et orbi*, профанировать священный образ, вышивая дорогие черты болгарским крестом, выпиливая или ввязывая черным люрексом в ярко-розовые свитера. Троцкисты могут исказить рыло любимого, могут свободно клеветать, и некому будет призвать их к ответу. Надежда только на американский народ: как мы видели, он встанет грудью на защиту и настигнет клеветников, где бы они ни скрывались. И новоявленные отступники будут наказаны, подобно иудушке Нэнси, полностью заслужившей свой превентивный народный ледоруб.

Кина не будет

Клинтон признался, и сразу стало скучно и пусто, и решительно нечем заняться. Сериал подошел к концу, экран погас, зрители, щурясь от дневного света, выходят из полутемного зала на воздух; уборщики сметают рассыпанный попкорн и бумажные стаканчики, из которых так хорошо пился липкий национальный напиток. Но это уже все, продолжения не будет.

Это нечестно: он все испортил! Еще целых два года он будет занимать президентское кресло, успешно или неуспешно управлять страной, удачно или неудачно заниматься внешней политикой, экономикой... ну а для души? Хлебца даст, а как же зрелища?

Скука американского провинциального городка где-нибудь в Средних Штатах, — да хоть где, — Макдоналдс, химчистка, бензоколонка. Картонные домики с клочком ухоженной лужайки, нелающие собаки. Пивной бар, кегельбан. В почтовом ящике — насильственно доставляемые каталоги: купи посуду, расписанную розочками; обклей внутренность посудного шкафчика самоклеющейся пленкой: уточки с желтыми бантиками, улыбаясь, следуют за курочками в красных капорах без всякой задней мысли. Купи книгу: сто сюжетов мировой литературы на трехстах страницах, и ты поразишь соседа своей эрудицией. Для развлечения купи нехорошую конфету и угости друга: через пять минут друг начнет портить воздух с нездешней силой, и вся ваша компания обхохочется.

Ну, прочитал краткое содержание «Анны Карениной» (там оказывается, не только про Анну, но еще и Левин какой-то со своей Кити; то-то сосед удивится); обклеил уточками что мог, проветрил после доверчивого друга, — чем заняться? Рабочий день окончен, темнеет рано, идти некуда. Волной наплывает вечернее сознание, хочется приключений, событий, — но где их взять? — дороги, — но куда ехать? Хочется грез: о приключениях, о дороге, об опасностях, о волнующих тайнах, о красавицах, о стрельбе, о власти над миром. И если когда-то рассказывали сказки у очага, потом стали читать романы, покачиваясь в кресле-качалке, после семьями шли, все за тем же, в кино, то сейчас грезят у телевизора. И не только потому, что ходить никуда не надо, не только потому, что у телевизора можно лежать, есть и пить, а в рекламном перерыве — сбегать пописать, не только потому, что можно лениво перелистывать каналы, но главным образом, кажется, оттого, что степень приближенности телесобытий к реальной жизни несравнима ни с чем: как раз когда я тут лежу на диване, они там, вот в этот самый момент, вон что делают, и так далее. И я как бы тоже там, с ними — в блсскс, рискс, волнении, интригах, даром что вокруг тьма, пустота, шорох кукурузных полей, рвущий сердце, если оно у кого еще есть.

Как бы ни трепыхалось оно, наше доверчивое сердце, от чтения книг, как бы ни замирало оно в темном зале, но мы, к сожалению, не можем забыть, что все это понарошку: книжные персонажи кем-то выдуманы, экранных красавиц кто-то играет. Там — дым, а тут — реальные люди, вроде нас с вами. Книга прочитана, фильм кончился, а актер отряхнулся и пошел — куда пошел? К длинноногой Н. или же к пышногрудой Х.? Нам не видно! Но интересно же! Нам-то с вами пойти некуда! Цветные журналы пристально следят за жизнью актеров: тут, безусловно, масса волнений, масса непредсказуемого. Такой-то буянил в ресторане, побил метрдотеля, нюхал и кололся, лечится от пьянства и нескоро, стало быть, сыграет ясноглазого и доверчивого обладателя небольшого, но такого понятного словарного запаса. Такая-то наелась пиццы и ее разнесло, ей угрожает потеря контракта. Ой, нет, она опять похудела. Ой, нет, опять ее раздувает. Мы колеблемся между завистью и злорадством, а это придает динамизма нашей сонной жизни. Мозг не спит, и мы постоянно в ожидании новостей.

От участников шоу-бизнеса мы вправе требовать как можно больше «шокирующих скандалов». Пьянство и измены на самом деле решительно никого не шокируют — мы и сами такие, — но традиция требует, чтобы ты взял подзорную трубу, залез на шкаф и, выворачивая шею, вгляделся в соседское занавешенное окно, в щель между занавесок, и был глубоко «потрясен» увиденным. Никто не хочет, чтобы соседи «сейчас же прекратили», совсем наоборот: давайте еще. Голливудские скандалы — это святое. Участники шоу-бизнеса сами заказывают слухи о себе: перестанешь мелькать — забудут.

Клинтон, плоть от плоти потребителей грез, хорошо и правильно начал свою президентскую карьеру: с мелкого, неловкого, всем очевидного вранья. Курил ли он в молодости марихуану? Курил, «но не затягивался». Просто во рту подержал. Вопиюще глупо; сразу интересно. Садимся (ложимся) к экранам, запасясь картофельны-

306

ми чипсами. Что в следующей серии? Ага, по блату уклонился от службы в армии. А врет, что нет. А документики-то — вот они. Вот и еще один дождливый вечер прошел не зря. Ну что еще? Еще вскрывается давнишнее жульничество с мясными фьючерсами: захватывающе для тех, кто понимает в цифирьках, а многие понимают. Следующая серия: Пола Джонс. Чудесно: приставал — не приставал? Щедрая на подробности, Пола публично и многократно умирает от девичьего стыда. Надоела Пола? — пожалуйста: самоубийство лучшего друга, Винсента Фостера, — а не Билл ли с Хилари его прикончили? Да где вы еще найдете такого голливудского президента? Даешь второй срок! Второй срок президентства, «Терминатор-2», «Муха-2», вторая серия «Унесенных ветром», — Моника. Вот я ни слова не скажу про Монику, потому что читатель и так знает, следил, загадывал, подозревал, прищуривался, сам с усам и так далее. Впрочем, как и я. Зачем бы: своих дел нету, что ли? Да уж как-то так, все же знают, интересуются.

По всем правилам жанра Клинтон должен был бы держать зрителей в сценарном напряжении до конца своего президентского срока. К осени 2000 года контракт иссякает, — вот тогда и можно было бы признаться: врал (карты всегда открываются к концу фабулы). А он, нате: взял и сознался прямо сейчас, в августе 1998-го. Нет, ну так нельзя. Я не понимаю, как нам дальше теперь быть-то. Как пережить оставшееся время. То вдоль всей голосовой версты разочарования протяжность.

Кто-то из наших телекомментаторов, пытаясь подогреть наш зрительский интерес, сообщил фальшиво-озабоченным голосом, что теперь, дескать, Биллу предстоят трудные минуты объяснения с женой, с дочерью… Напрасные ухищрения: мы понимаем законы жанра, простые правила коллективной мыльной оперы. Ничего ему не предстоит, это нам, нам, нам предстоит жить полтора года в глуши, среди шелеста кукурузы, на пыльном пятачке между «Макдональдсом» и бензоколонкой, без слез, без жизни, без чужой любви. Свет погас, кино окончено, операторы сворачивают кабели. Никакой жены и дочери нет: актрисы смывают грим бумажными салфетками, равнодушно переодеваются, укладывают пудреницы в сумочки, расходятся по домам.

Можно, конечно, еще какое-то время мусолить тему: если он сказал правду в августе, то зачем он врал в январе, — но это скучно. Врал — ну и врал, и мы бы врали. Можно попробовать отыскать новую участницу адюльтера, — но это будет повторением. Можно бы придумать боковые ответвления сюжета: Клинтон, подкравшись незаметно, валит в кустах Мадлен Олбрайт, — но у Мадлен некассовая фигура, мы вряд ли взволнуемся. Нет, все, что ему остается — обклеивать Белый дом курочками в капорах.

Грустно. Предстоит долгая, дождливая осень патриарха. Ямщик, не гони лошадей: нам некуда больше спешить и некого больше любить. Мы остаемся в страшном одиночестве, наедине сами с собой, наедине с гулкой, звонкой пустотой собственного, бессмысленного, ничем не наполненного «я».

И сбоку бантик

Завалив антилопу, лев не раскладывает ее на порционные куски, не украшает хорошенькими веточками, не посыпает специями — хотя бы они и росли тут же на соседнем кусте. Просто жрет, возясь окровавленной мордой в каркасе. А за львом уже толпится очередь: гиены, стервятники, мухи. Все сурово, без нежностей. Твоя смерть — это моя жизнь. Пищевые цепочки. «Жук ел траву, жука клевала птица, хорек пил мозг из птичьей головы, и страхом перекошенные лица ночных существ смотрели из травы».

Конечно, страшно, когда едят тебя или твоего товарища. Вот и слоны горестно трубят, когда одного из них подстрелят. И бегемоты собираются в круг и смотрят на погибшего друга, раздираемого подоспевшими гиенами, и нам более или менее понятно, что делается в их душах: они перекошены. И мы с некоторым смятением смотрим на это дело в телевизор, а потом идем на рынок и просим телятины килограмма так на два. Или цельного молочного поросеночка, беленького амурчика с детской улыбкой. И нам иногда бывает неловко, и мы раздумываем, не стать ли вегетарианцами, — говорят, оно и полезней, — а самые чувствительные из нас жалеют и траву, и растения, и морковку: жила она своей тихой подземной жизнью и было ей спокойно и хорошо, а мы набросились, вырвали ее из родного домишка, и — ножом ее, кипятком ее, зубами!

Разум может сколько угодно говорить нам, что это ничего, что есть фауну и флору можно и нужно, — да мы только и делаем, что едим, — но нечто другое, имени чему не подберу (какой-то подвид совести) все время тихо стучится изнутри, не то, чтобы укоряя, но напоминая нам о цене нашего чревоугодия, да и просто о цене насыщения. Уважай чужую жизнь, ты не гиена. Да, плоть поедает плоть, это закон, но помни: они — страусы, устрицы, кролики, щуки, гуси — тоже жили и радовались. Поблагодари их, проводи их туда, идеже нет ни печали, ни воздыхания, праздничной церемонией, прекрасным ритуалом. Они отдали свою жизнь, чтобы твоя продолжалась, так укрась же их, пригласи людей своего племени, справь почетную тризну.

Мы далеко ушли от первобытных народов, верящих, что «в древние времена деревья и животные были людьми», но отголоски этой культурной прапамяти явственно звучат за каждым накрытым столом. Не оттого ли селедка под шубой всегда выкладывается в форме свежей могилы и украшается — вдоль несуществующего хребта усопшей — длинной майонезной волной, словно бы в память об океане? Не оттого ли поросенка собирают как праведника в рай, обкладывая лимонными кружочками и кудрями петрушки? (Никто же не станет есть эту петрушку, да и лимон отдвинут вилкой: это не для сытости, а исключительно для неземной красоты, — пусть поют арфы, и девы в белом укажут невинному путь в Эдем.) Курам-дурам в дорогих ресторанах устраивают на спине шахматную доску из цветного желе, зеленого и красного, хотя при жизни они ничем вроде бы не заслужили такого к себе отношения. Бараньей ноге, на то место, где кость, надевают белую гофрированную розетку, словно невесте. А всякий, кто вперял взор в недвижные воды рыбного заливного, не мог не задуматься о том, как наконец уютно и спокойно осетрине после всех страстей и бурь в этой тихой, прохладной заводи.

Как и всякое искусство, кулинарный дизайн знает различные стили — барокко там или минимализм, — а также имеет своих пошляков и бездарей, охотно и бессмысленно работающих в любом стиле. Все мы уныло ковыряли «гарнир сложный» в вагонах-ресторанах, — вся сложность там в том, что какой-то садист зверски замучал половинку соленого огурца, пытаясь превратить его в розу. Все мы, опять-таки, чувствовали себя голодным журавлем в гостях у лисы, пытаясь отскрести вкусные, но недоступные малиновые или шоколадные нити с десертной тарелки (сами знаете где), — дизайнер забыл, что тут кафе, а не музей Гуггенхайма. И самое ужасное, на мой вкус, — это когда перед тем как взяться за еду, нужно вытащить из блюда натырканные туда шпильки, палки, зонтики, серебряные звезды, шарики и прочие не относящиеся к делу предметы.

Простые люди уважают тех, кого они съели. Никто никого ничему не учит, рука, движимая сердцем, сама тянется украсить блюдо: расстелить коврик, насадить садик, замостить дорожку колбасными кружочками. Клумбы, пирамиды, курганы, затейливо украшенные подручной зеленью, сами по себе возникают на самых простецких, самых непритязательных столах. Там где семья, там где любят, там, где гости — непременно воткнут вишенку или оливку на вершину салатной горки. И напротив, там где едят винегрет из тазика, холодную котлету из банки, колбасу на газете — там уже шатается призрак одиночества, социального распада, свинства, горького пьянства, кочевья, печали и поножовщины.

Это — путь назад, путь из людей. Но не к животным, а мимо: животные нас к себе больше не пустят. Вход рубль, выход — два.

Мелкие вещи

В начале шестидесятых к нам домой приходили два папиных аспиранта-физика, китайцы Лю Шуньфу и Сюй Сюйюн, само собой, неотличимые друг от друга: росточка детского, верхние зубы нависли балконом, очки на подслеповатых глазках, все время смеются, все время немножко кланяются — от застенчивости, вежливости, иностранности и вообще пятитысячелетней культуры. Лю Шуньфу и Сюй Сюйюн изобрели всё: бумагу, порох, шелк, компас, рисовые колобки и иероглифы, хотя по ним это совсем не было заметно. Сквозь дверь папиного кабинета слышно было, как они разговаривают про «интерференцию красных полос». Наверное, они изучали спектральный анализ. На Новый год — случавшийся у них в самое неожиданное и неподходящее время — они приносили маленькие подарки, ни на что не похожие. Потом они уехали к себе. Потом у них случилась культурная революция, и их убили — как буржуазных спецов, за излишнюю ученость. Хотя ученые, говорил папа, из них были невеликие.

От них остались маленькие вещи: костяная коробочка величиной с палец, со сдвигающейся крышкой, и внутри — квадратная печать с иероглифом и корытце с пачкательной краской карминного цвета. Два дня мы штемпелевали все подряд, оставляя на тетрадках и обоях след, подобный узору надписи надгробной на непонятном языке, потом забросили. Еще была круглая прозрачная коробка, в которой на шелковом ложе лежала тряпичная роза, надушенная душным, плотным без просветов сладким запахом, который никому не понравился, так что она валялась без дела в шкафу и пахла наедине с собой следующие сорок лет. Еще были пять крошечных лаковых шкатулок, вкладывавшихся одна в другую: оливковая, синяя, морской волны, красная и розовая. Мне досталась морская волна, хотя она сразу треснула, и это было нечестно. Шкатулки были черными внутри, с золотой сыпью и невесомые — рука не чувствовала тяжести. Нам объяснили, что шкатулки эти делают из одного только лака, слой за слоем, и никакого дерева там внутри нет. И через трещину в крышке я видела, что это и правда так, что вещица сделана, таинственным образом, из пустоты, из ничего, из черного позолоченного воздуха.

А иероглиф, таким же непостижимым образом, содержал в себе папино имя и фамилию: вот эти крохотные палочки и черточки, окошечки и подпорочки складывались в длинное имя — целый мир в одном, одновременно взъерошенном и аккуратненьком рисунке.

Наверно, все это была дрянь, ширпотреб эпохи дружбы с великим кормчим Мао, но ширпотреб драгоценный, выбранный и Подаренный «детям Учителя» с любовью. Тогда у многих в домах были китайские вещи, но всё не то: термосы, эмалированные тазики да полотенца, причем одного и того же цвета и рисунка: мятно-зеленые с ярко-розовой камелией, или что там у них растет. А сквозь аспирантские игрушки просвечивали все пять тысяч лет, весь огромный, далекий, непонятный континент, где живет народ, который изобрел все на свете, кроме вилки.

Во время «культурной революции» великий китайский народ сам себя истребил — не он первый, не он последний, конечно, но от этого не легче; не всех, конечно, — какой-нибудь неполный миллион, — да его уже не вернешь. Уничтожены были самые лучшие, самые образованные, самые знающие, те, от которых тянулась крепкая шелковая нить в прошлое. Кого не разорвали в клочья, тех выслали в горную глушь, в бесплодные районы: воть пусть помашут мотыгами, пусть засеют камни рисом, вот и будет им «интерференция красных полос»! А еще, чтобы неповадно было умникам отрываться от народа, снесли бессчетное количество памятников, храмов, переломали кучу старинных вещей, сожгли древние книги, раздробили в труху, в мелкую пыль плоды чужих трудов, любви и терпения — ибо невыносимы для плебса свидетельства того, что кто-то бывает умнее, талантливее, духовнее, выше, да просто лучше.

...Когда-то мир был таинственным и неоткрытым, еще лет сто назад путешествие было волнующим событием, в Грецию ездили не для того, чтобы загорать, а для того, чтобы «прикоснуться к истокам европейской цивилизации», чтобы испытать эту особую дрожь: вот оно, подлинное, настоящее, уникальное, случайно сохранившееся, выпавшее из тьмы времен прямо ко мне под ноги. Сейчас оно снова уйдет, рассыплется, сгорит на свету, распадется, как фреска в феллиниевском «Риме»; сохранить его, уберечь, утащить в музей, запереть в четырех стенах! Англичан упрекают в варварском растаскивании греческих древностей — да, было такое дело, но ведь украли, чтобы любоваться, чтобы сохранить, чтобы не испортилось, а турки вот использовали Парфенон как склад боеприпасов, с соответствующими последствиями — две с половиной тысячи лет простоял, а потом шарах! —

и несколько попортился. Есть разница между вором и варваром, и — да, вор мне все же милей.

А сейчас мир, к сожалению, почти весь открыт, исследован, прочесан и проутюжен. Есть робкая надежда на то, что в африканской глуши вас съедят, но шампуры для шашлычка будут промышленного производства. Остается еще непройденная сельва в Южной Америке, но вряд ли там под плотной листвой и лианами таится неизвестная миру сногсшибательная культура. Разве что какая-нибудь радужная жаба да ядовитая муха дружелюбно ждут своего исследователя.

Вся экзотическая, далекая красота, которую мы тащим в свои дома в тоске по дальним странам и канувшим временам, сделана в Тайване. Все плетеное, вышитое, грубо сколоченное, резное изготовляют — быстро и точно — промышленные артели. Для знатоков — натуральное и неотличимое от оригинала, для тех, кто попроще — синтетическое, пластмассовое. Для тех, кто живет только сегодняшним днем — прозрачные шарфики «под зебру» и легтинсы «под леопарда». Больше нет и не будет уникального, не спеша сделанного, веками отработанного, ни на что не похожего. Глобализм, индустриализация, то-се. Очень удобно, очень тоскливо.

Ничего хорошего о человечестве в целом говорить не приходится: убивают и ближнего и дальнего, изводят на нет целые народы. Если и есть такая нация, которая никого из соседей не потрепала, то либо силенок не хватило, либо соседей не было. Но в каждом народе есть люди сберегающие и люди разрушающие. И среди разрушающих есть убийцы людей, и есть убийцы вещей. Те, кто убивают вещи — дважды преступны, потому что они уничтожают человека, земной след его, память о нем навсегда, окончательно. Те, кто убивают вещи — убивают время, заколачивают последние окна и отдушины, превращают существование в плоское и невеселое «сейчас». Те, кто убивают вещи, человека уж тем более убьют не задумываясь. На что он нужен-то.

Два маленьких китайца, Лю Шуньфу и Сюй Сюйюн, пропавшие сорок лет назад, ничего не успели сделать в своей короткой жизни. Не доучили тонкостей спектрального анализа, не говоря уж об особенностях интерференции красных полос. Спектр их жизни, вместо радостно ярких разноцветных черточек, схлопнулся в тупую черную темноту.

Что осталось от них? Иероглиф, лак и нетленная роза. Письменность, культура и вечная, вечная природа.

Кто сейчас помнит их имена? Одна благодарная я.

Без

Вот чтó, если бы Италии не было, совсем не было, не случилось бы такого геологического образования в форме сапога, — либо ее залило бы потопом во время оно, либо вся она, с Альпами своими и Аппенинами, розами и лимонами, и уж заодно, ладно, с Сицилией и Сардинией провалилась бы в синие воды во время землетрясения, и море было бы безвидно и пусто — один Дух Божий носился бы над бездной? Куда бы плавали албанцы, ворующие белье с веревок? Берем карту и тупо смотрим: ближайшее белье на Корсике, вплавь не добраться, да и местные побьют, а впрочем, и местных-то нет, и французов нет, есть галлы, не завоеванные и не облагороженные римлянами; дальше к западу — нет испанцев и португальцев, а все какие-то дикие иберийцы, скорее всего, под властью мавров. Само собой нет румын-молдаван, и в Кишинэу проживают совершенно другие люди, возможно, даже не умеющие стеклить окна и размешивать побелку в ведре. Английский язык, каким

320

мы его знаем, — то есть с семьюдесятью процентами латинской лексики — не существует. Латинских букв тоже нет, все пишем греческими, — ну, положим, разница невелика. Греков очень много, но поскольку римлян нет в природе и завоевать греков некому, то скорее всего вскоре после смерти Александра Македонского их завоевывают персы, — давно хотели, у персов очень неплохо с инженерной мыслью, они чудно мостят дороги и ирригация им не чужда, так что за брусчатку и водопровод беспокоиться не надо. Почта тоже работает бесперебойно, особенно если обслуживает царскую администрацию. Но вот насчет там мраморной скульптуры, мозаики, энкаустики, мелкой всякой бронзовой пластики — хуже. Спору нет, грек вам все изобретет, грек вам все изготовит, построит, напишет и раскрасит, но вот со вкусом как? Персидский вкус все же несколько тяжеловесен. Ляпис-лазурь. Борьба царя со львом. Золотые халаты до полу и шапки стогами в духе бояр Ивана Грозного, общественные нравы таковы же. Самодурство, клокотание темного гнева, всем — на колени, лбами оземь; всех баб под ключ и ни-ни; пленным лопатки просверлить, и на веревочку. А где политическая мысль? Консулы-проконсулы, сенат, партии, патриции, плебеи, республика, наконец? А где римское право? Ау!.. А где театры? Историки? Ораторы? Нешто перс придет в восторг от шума и плеска рассаживающейся театральной публики, — а небо темнеет, олеандр прибавил запаху, и догорает вечерняя звезда Венера, которая и не звезда вовсе... от исторических свитков, от состязательных судебных процессов; нешто он заслушается цицерона какого или — ввиду отсутствия — демосфена какого, зауважает и немедленно заведет у себя подобные учреждения, общественные площадки, где всякий, кому не лень, будет язык-то распускать? На кол, на кол, и форумы зачистить негашеной известью: прощайте, падвы и кучерены! А где бани, где легкие одежды, где бритые подбородки, где виллы с верандами? Где уважаемые женщины, достойные матери достойных граждан? Где соблюдение договоров? Где общественная польза? Поэзия, поэзия где? Сатира!!! Какой перс потерпит сатиру? А частную переписку? А спортивные состязания нагишом? А вольное отношение к богам?

Вычтите из культуры романский стиль и готику; вычтите арки, сводчатые конструкции, замковый камень; вычтите городскую планировку, сады, фонтаны, все европейские города, замки, фортеции, шпили, горбатые мосты, колоннады и атриумы, сотрите весь Петербург, например, и обтрясите с рук его прах, как если бы его и не было. Всё к чертовой бабушке. Возрождение — долой. Джотто, Микельанджело, Рафаэля — вон, вон, вон. Всю живопись забудьте, это был сон. Оперу — прочь, вообще пение прочь, проткните себе барабанные перепонки. Вино вылейте, будете пить ячменное охмурялово.

Данте порвать, Джоконду стереть, Ватикан срыть. Нет ни католиков, ни пап, ни антипап, ни кардиналов, ни святош, ни Галилея, ни Джордано Бруно, ни их мучителей, ни гвельфов, ни гибеллинов, ни Западной Римской империи, ни Восточной, — ведь Запада нет. Совсем никакого Запада нет. Нет гладиаторов и отравительниц. Нет семи римских холмов, нет полосатого Сиеннского собора, ни из одного окна не открываются голубые тосканские дали. На небосклоне нет ни кровавого военного Марса, ни алмазной Венеры. Ничего, ничего нет: ни макарон, ни Феллини, ни пиццы, ни белькапто, ни Пиноккио, ни Софи Лорен, ни слезливого Горького на Капри, ни Синьора Помидора, ни неаполитанских мастифов, ни каррарского мрамора, ни карнавалов, ни соуса песто, ни Ромео-и-Джульетты, ни моццареллы, ни капуччино, ни извержения Везувия, ни гибели Помпеи, ни итальянской мафии, ни итальянской моды, ни Муссолини, ни Армани, ни Понтия Пилата, ни *benedicta tu in mulieribus, et benedictus fructus ventri tui Jesus*. Не падает пизанская башня, не тонет Венеция. Нет Катуллова воробышка. Некому открыть Америку. Некому построить московский Кремль.

Гоголю некуда бежать от вселенского Миргорода, негде лечь навзничь на теплую землю и смотреть, смотреть часами в небесную синеву, очищая темную, северную, промозглую свою душу от всего мусора и дряни, что набросала в нее бледная, вялая, толстозадая родина. — «Она моя! Никто в мире ее не отнимет у меня! Я родился здесь. Россия, Петербург, снега, подлецы, департамент, кафедра, театр — всё мне снилось!.. Кто был в Италии, тот скажи "прости" другим землям. Кто был на небе, тот не захочет на землю... О, Италия! Чья рука вырвет меня отсюда? Что за небо! Что за дни! Лето — не лето, весна — не весна, но лучше весны и лета, какие бывают в других углах мира. Что за воздух! Пью — не напьюсь, гляжу — не нагляжусь. В душе небо и рай...».

Если Италии нет — о вкусах спорят. Деньги пахнут. О мертвых можно всё. Все дороги ведут в пустоту.

Зверотур

Кто показывает нам сны, неизвестно; зачем — непонятно. Исполнение желаний? Решение дневных задач? Можно было бы, казалось, обойтись и без снов, а все эти решения и исполнения осуществлять наяву, да некоторые так и делают, обходясь без ночных коленчатых подземелий, пустынных морей и медленных обрушиваний в пропасти.

Может быть и правда во сне исполняются желания, но что такое *желания*? Дедушка Зигмунд, летом надевавший чесучовый костюм, и жилет, и воротничок, давивший на кадык, и перчатки, и шляпу, и какие-нибудь носки на подколенной резинке, о которых страшно подумать, плюс борода, плюс очки и манжеты, — дедушка, напрягавшийся всем потным, вбитым в трехслойную чесучу туловищем при виде каждого турнюра, понимал желания просто: тырк да пырк, что же лучше-то, есть ли наслаждение выше? Вот и видишь по ночам шляпы да колокольни, грибы да сапоги. Или сумочки. Или коробочки. Или остро очинённые перья. Или горы в снегу. Или лестницы. Или колодцы. Или просто бананы.

Турнюры, обстрелянные вострым дедушкиным глазом, тоже, в свете этой теории, думают все про то же да оно же, как солдат перед дембелем. Странно вообще-то. Есть много еще других интересных вещей на свете.

Дедушка так ловко захватил всю ночную территорию, так хорошо подготовился к неизбежным сомнениям и протестам, что любой еретик, неверующий в высшую ценность шпаги и ножен, всегда останется в дураках: любое частное, интимное счастье, любой светлый секрет немедленно будет опорочен, приведен к общему пещеристому знаменателю. Обмолвишься, например, что самое-самое, во сне ли, наяву ли, — это смотреть на белые кучевые облака, смотреть, как они зримо плывут, огромные и нетяжелые, — сей же момент, как кукушка из ходиков, вывалится венский толкователь: «ку-ку! ку-ку! а это малофейка! ку-ку! это у вас просто сублимация!» — тьфу ты господи.

Нет, я отдаю должное дедушкиному остроумию, вооружившему нас некоторым полезным цинизмом: когда муж фригидной женщины видит во сне, что он засовывает бутылку шампанского в ведерко со льдом, то это конечно да, тут ничего не скажешь.

Но все же я предпочитаю думать, что помимо тутошнего мира самцов и самок есть мир тамошний, непрочитанный, лежащий за оградой как сад во тьме, мир, не поддающийся простому разоблачению или объяснению, мир, не сводимый к простой картинке: вот бездна страшной женской утробы, а вот и утлое суденышко перепуганного и оттого хорохорящегося туриста-спелеолога.

В этом мире, отделенном от нас и в то же время построенном прямо поперек нашего разума, сердца и глаз, обитает Сценарист — а может быть, их несколько, — который говорит на своем языке и предлагает нам понимать этот язык в меру нашего разумения. Он все знает о нас, но словно бы не считается с нами: ворует наши вещи, использует наших знакомых и любимых, захочет — меняет им лица, заставляет их обижать нас, оскорблять так, как никогда никто не посмел бы наяву, хоронит не убивая и убивает не хороня, перестраивает квартиры, устраивает странные, нерадостные случки с неподходящими любовниками, оставляющие одно только недоумение, — какое уж там исполнение желаний. Доводит до слез, длинных, жидких слез с подвыванием, — а повода не показывает. А иногда заведет в местности беспредельного, упоительного счастья, а всего-то — пыльная белая среди шумящих деревьев дорога, стремящаяся, разматывающаяся в сторону приближающегося, не-слепящего света. А то надо на особой подводной платформе вовремя выбраться с поворотом за угол, пока не наступил Страшный Час. А то по-падаешь в Австралию, а там при входе в эту Ав-стралию как бы касса и надо предъявлять какие-то чеки, а они с ошибкой. А то упало и рассыпа-лось много-много монет, и сценарист заставляет тебя собирать их и так радоваться этой жалкой добыче, как не к лицу и бомжу. А то маленькая девочка, очень нехорошая, просто преступница, опасная такая, и у нее есть камень, он же глаз, и она им, камнем, все это ужасное делает, и ты предупреждаешь, так весь волнуешься, но они (кто? — все) не внемлют. А то поменяли квар-тиру, и так все хорошо, и комнат масса, просто чудесно, наконец-то, но вот незадача: на кухне дверь прямо на улицу, и посторонние люди име-ют право свободно входить и проходить твою квартиру насквозь. Такое право у них, и ничего тут не поделаешь.

Потом он перемещает тебя в место, которое находится Очень Далеко, откуда далеко — не-важно. И ты в этом месте находишься и прямо так и думаешь: о-о-о, как далеко!.. Но прямо от-туда видно прежнее место, которое «близко», совсем рукой подать. Но это неважно: между «близко» и «далеко» такое страшное расстояние, что в три года конем не доскачешь. И проснувшись, наяву, ты каким-то новым образом начинаешь понимать и чувствовать и эту зияющую, неперекрываемую бездну пространства, и невозможность путешествия, и непреоборимую тягу к путешествию, к пути, к колумбовым плаваниям, ко всему физическому чувству перемещения: к сладкому морскому или земному ветру, к миражам, к разворачивающимся и сдвигающимся горизонтам, к внезапному виду с горы, к мелькнувшему мимо прохожему, провожающему тебя непонятно каким взглядом.

Можно все детство, всю жизнь читать книжки о путешествиях, особенно с картинками, можно живо представлять себе весь пестрый мир, но только когда Сценарист по своему капризу устроит тебе это «далеко» — просто, можно сказать, на пустом месте, — только тогда наступит счастье настоящего воплощения слова, звука, понятия, смысла. Отсюда уже один шаг до литературы, вернее, до каких-то кривых попыток собственного творчества: то, что поселилось в душе, просится наружу, хочет быть выраженным; просеявшись сквозь сито внутреннего, неотменяемого знания, новое чувство заявляет право на свое рождение в мир, и с этого момента — случись тебе «сочинять» — нет над тобой судьи строже, чем ты сам, ибо кроме тебя никто, ни один доселе живший не знал и не знает, какое оно, это «далеко», на самом деле. А все только притворяются.

«В постель иду, как в ложу: // Затем, чтоб видеть сны». Тому, кто умеет смотреть сны, ночная жизнь дороже дневной. Иногда кажется, что единственное оправдание дневного перерыва между спектаклями — это обдумывание, переживание заново этой рваной ночной пьесы, идущей всего один раз и без репетиций, — кстати, такое расточительство! Костюмы, декорации, актеры — а завтра все новое! Но сновидцы хорошо знают, что редкий сон не распадается — без предупреждения — через мгновения после пробуждения. Чтобы запомнить увиденное, надо немедленно записать хоть клочки пьесы, хоть часть сцен, образов, слов, испаряющихся как волшебные чернила. Чем старательнее соблюдаешь это правило — сразу записывать, чем точнее слова находишь для записи, тем благодарнее становится Сценарист: он показывает свои выдумки все чаще, позволяет запоминать все лучше, а сюжеты становятся все богаче. Как будто он — странный, бестактный, бесконтактный, аутистический, гениальный, неутомимый — именно этого от тебя и хотел, а ты — тупое, недогадливое, так называемое разумное, а на самом деле глубоко косное и неповоротливое животное так и собиралось прожить всю жизнь, не подняв рыла ввысь, так и хрюкало бы у корней древа, не заметив, что крона его населена поющими райскими птицами.

Сновидения похожи на кино, в которое ты попал нечаянно, не желая того, но они подспудно и таинственно связаны не с кино, а именно с литературой, во всяком случае — со словом. Именно словесная фиксация сохраняет летучую ткань сна; наивно надеяться, что можно запомнить его сюжет, просто прокручивая в памяти только что виденные образы, как мы это делаем с любым «земным» кинофильмом. Эти «образы» — не образы, это что-то другое. Это рисунки на воде, это тени волн на морском дне: сквозь прозрачную воду видно, как пляшут по песку золотые цепи, но запомнить их форму можно, только если сфотографируешь, зафиксируешь, остановишь — и немножечко убьешь мгновение.

Кроме того, Сценарист — абсолютно бессовестный во многих отношениях, плевать хотевший на наши драгоценные трепетности — проявляет странную стыдливость или же дипломатическую деликатность, а то и юмор в обращении со словом. Опытные сновидцы знают, что Сценарист избегает называть важного для вас человека по имени. Скажем, вы влюблены в какого-нибудь Владимира — как бы хорошо увидеть его во сне, так нет же, так просто вам его фиг покажут, только по большим праздникам. Вместо этого в ваши сны придут Ленин, Путин, Маяковский, Набоков, Мау, Высоцкий, ваш сосед дядя Володя, кто угодно из тезок, только не тот, от кого вы находитесь в мучительной зависимости. Сначала вы не уловите связи, но если записывать сны подробно, то эта странная игра не может не броситься в глаза. И когда вы наконец догадаетесь, то Сценарист, прислав вам напоследок писателя Войновича или бывшего питерского губернатора Яковлева, сменит тактику и, разоблаченный, затеет другую, лучше зашифрованную игру.

Почему это так, зачем это ему — кто знает. В общем-то, это вполне «писательский» прием: «вывести» знакомых под чужим именем. Или это писатели применяют приемы Хозяина снов?

У Блока есть стихотворение «Ночная Фиалка» с подзаголовком-пометой: «сон». Вечер; он бредет по городу, за город и по болоту, входит в избу, там что-то случается со временем — оно вязнет, с памятью — она расширяется, а за прялкой сидит «Королевна забытой страны, // Что зовется Ночною Фиалкой». Там, в этой избе, — как бы Вечность, ведь пряжа — символ времени. «Дальше, дальше — беззвучно прядет, // И прядет, и прядет королевна, // Опустив над работой пробор. // Сладким сном одурманила нас, // Опоила нас зельем болотным, // Окружила нас сказкой ночной, // А сама всё цветет и цветет, // И болотами дышит Фиалка, // И беззвучная кружится прялка, // И прядет, и прядет, и прядет». И опять: «...Над болотом цветет, // Не старея, не зная измены, // Мой лиловый цветок, // Что зову я — Ночною Фиалкой». И еще раз, и еще, по словесной спирали: «...лилово-зеленый // Безмятежный и чистый цветок, // Что зовется Ночною Фиалкой». Но что это за цветок и почему Ночная Фиалка?

Это растение — скорее всего, *вечерница, Hesperis matronalis*; с виду оно похоже на то, что мы в Питере называем флоксами. (Хотя флоксы, как пишут грамотные люди, относятся к семейству синюховых, а вечерница — из семейства крестоцветных.) Я, может быть, ботаническая тупица, но Блок тупицей не был: его дед Бекетов был известным ботаником, и книжки дома водились, пока их по бессмысленной злобе не сожгли революционные мужики. И название «вечерница» поэту должно было быть известно. И слово «вечер» разлито по всему сну. И, конечно, сон этот очень блоковский, очень серебряновековый: вечер, болото, королевна, лилово-зеленый цвет, вневременье и к концу сна — ожидание Нечаянной Радости. Деревянная изба, Скандинавия, трухлявые короли, когда-то бывшие молодыми, какой-то плен сумерек, недосмерть, и ночной пленительный, поддерживающий и пропитывающий всю сонную конструкцию запах.

Это все, конечно, так, но есть и другое растение, тоже носящее имя Ночной Фиалки, а именно *любка двулистная, Platanthera bifolia*, семейство орхидных. О, какой у Блока опытный Сценарист, не хуже дедушки Бекетова! Блок видит во сне, конечно, мучительно-неотвязную свою любовь — Любу, Любовь Дмитриевну Менделееву, но только эта *любка двулистная* лиловой не бывает, цветы у нее мелкие и белые, совсем не таинственные, хотя как-то там она страшно полезна фармакологически. Это такая метелка, несколько ободранная и невнятная; колером не вышла, нежным плаксам Серебряного века в свои венки ее не вплетать. (Бывает она, правда, зеленоватой, но про такую наука грубо пишет: «Зеленоцветная любка аромата не издает. Скотом не поедается».) А вечерница и впрямь безмятежная и чистая, бледно-лиловая, нежно-фиалковая — детский такой, трогательный зонтик. Что сам Блок об этом думал, что осознавал — спросить больше не у кого.

Однажды я видела во сне плакат (запись на какие-то платные курсы в пещере, а пещера в горе; Зигмунд, отвяжись). На плакате, выполненном в стиле индийского лубка, скакал раскрашенный в красный цвет Буденный на коне, с саблей. Так странно… но, записывая наутро имя всадника, я тут же, с третьей буквы прозрела и поняла, что это был, конечно, Будда: на ночь я читала книжку о буддизме — все просто, без чудес. Но Сценаристу нельзя же так просто взять и приснить мне Будду, он поискал-поискал созвучия, и ближайшим тезкой самого мирного существа во вселенной, по иронии лексикона, оказался свирепый Семен Михалыч — «мы красная ка-ва-ле-рия, и про нас былинники речистые ведут рассказ».

Иногда он шифрует с помощью английского языка или любого другого, который вы знаете, или знали, да забыли. Я вот знала в свое время три слова по-венгерски, но уже и не вспомню какие. Я забыла, а у него они записаны, и кто скажет, — может быть, он вставляет их где-нибудь по ходу сонных моих странствий, а мне и невдомек… А в одной книжке о снах рассказывается про американца, который приехал в Россию, и ему было страшновато. Приснился ему пчелиный рой в дупле, и одна пчела, заползая в дупло, была какая-то нерешительная. Проснувшись, он записал сон и тогда вдруг увидел его смысл: чтобы описать «осторожную пчелу», он выбрал слова "*cagey bee*", то есть «кейджи би» = *KGB* = КГБ попросту. И то, какой же американец не боится чекистов?

Мне же душным комариным летом приснилось, что у меня куплены билеты в Саудовскую Аравию и турагент меня отговаривает: с ума вы, дескать, сошли, там же страшная жара и загазованность. Казалось бы, слишком простой ход: в квартире жара, вот и снится жара. Но почему выбрана Саудовская Аравия? А потому, догадываюсь я, что у меня одновременно включен вентилятор и таблетка, убивающая комаров, "*air*" и «яд», а мне во сне лететь в Эр-Рияд.

В интернете есть несколько сайтов, где сновидцы рассказывают свои сны; хорошо рассказанные сны волнуют не хуже прозы. Вот несколько снов неизвестных авторов. В смысле, спящих людей.

1. Снилось мне, что я в гостях в глухой деревушке, населенной настоящими чаеводами (нигде таких больше нет). Они объяснили мне, что в свежезаваренном краснодарском чае чаинки всплывают наверх в виде «ма-а-аленьких золотистых петушков» и не иначе. А еще мне, как знатному чаеводу, подарили бумажный кулек с сверхэлитной заваркой и ма-а-аленький черненький заварочный чайник. Почти весь сон я очень боялась, что выяснится, что я никакой не чаевод, и подарки отберут.

Или:

*2. Иду я как будто по рынку, вижу — люди стол-
пились вокруг какой-то пожилой женщины. У нее
в руках большая полосатая сумка, как обычно
у торговцев, доверху набитая полиэтиленовы-
ми пакетами. И она вроде бы бесплатно раздает
их всем желающим. Протискиваюсь через толпу,
хочу получить пакет. Она мне сует маленький,
прозрачный. А я вижу, что на дне у нее большие
и красивые, она их пытается спрятать, чтобы
никому не дать. Я говорю: «Дайте мне, пожалуйста, тот большой пакет». У нее кривится лицо,
она что-то собирается ответить, но тут меня
оттирает толпа. Я остаюсь вообще без всего.
А пакеты, как та тетка сказала, не простые,
а от Сороса.*

Вот читаю, дивясь... Первый сон — словно бы
Павич, второй — как будто некая притча. Сюжеты похожи: «отберут то, что сами дали» или «захотела большего — потеряла все», но стиль опи-
сания разный. Сквозь второй сон просвечивает,
в общем-то, «Сказка о рыбаке и рыбке», женщина с сумкой выступает вроде бы в роли рыбки...
Или это Сорос — рыбка? И задумавшись об этой
великой сказке, Пушкиным не придуманной, но
написанной, вдруг замечаю, что ведь и в первом
сне — «золотой петушок»... а ведь я случайно вы-

брала для себя эти два сна из бездонной корзины чужих сновидений… Как это они сошлись вместе? Тут не Павич, тут другое…

А вот уж совсем ни в какие ворота:

3. Я приезжаю к своей родной сестре в гости в другой город. И у них там происходят странные вещи. Поселился некий не то человек, не то зверь, которого все именуют Зверотур.

Сие неведомое существо появляется неожиданно, даже в квартире, и пожирает понравившегося ему человека.

Вокруг жуткое напряжение, но несмотря на это город продолжает жить. Мы с сестрой и ее ребенком идем на прогулку.

Все ходят со специальным оружием, которое может на время охладить пыл Зверотура.

Ощущение надоевшего страха очень сильное, даже у меня, недавно живущего в этом городе человека. Это очень угнетает и тяготит душу.

И вот мне воочию довелось встретиться с этим зверем. Напряжение жуткое, потому что он непредсказуем и появляется в самых неожиданных местах. Народ в панике, все разбегаются. Я забегаю в какой-то парк, там стоит черная машина, которая собирается сдвинуться с места. Мне удается лечь на багажник. Машина едет задним ходом с большой скоростью, ветки бьют по лицу, я пытаюсь закрыться руками, но ощущение того, что я уже далеко от зверя, приободряет меня.

Машина попадает в другой город. Решаю для себя что нужно как-то избавиться от этого зверя, и от ощущения неустойчивости положения и надоевшего страха.

Иду в библиотеку в поисках информации о Зверотуре. Когда нахожу библиотеку, я встречаюсь там с шофером, который ехал в черной машине. Его отчитывают люди мафиозного вида. Каким-то образом они выяснили, что на багажнике кто-то ехал. Думая что меня видел шофер, я признаюсь во всем сама, объяснив ситуацию, жалея шофера.

Выслушав меня внимательно, один из мафиози говорит, что поможет мне, и ведет к старушке, которая работает в архиве. Старушка выдает мне одной тайну Зверотура. Оказалось, что его нужно просто полюбить. И я решаюсь на это.

Каким-то образом я опять оказываюсь в том городе и нахожу Зверотура. Оказываюсь лицом к лицу со зверем (он очень большого роста, за 2 метра, огромные плечи и большой рот, уродливое лицо, стоит на двух ногах как человек, но вместо ног копыта, руки как у обычного человека). Солнце мне очень слепит глаза, но несмотря на это я сквозь кожу Зверотура вижу его сердце и... и тут зазвенел будильник.

Получилось очень сумбурно. Я просто вся под впечатлением сна и никак не могу его объяснить для себя. Я не смотрела телевизор, не читала книг. Есть ли вообще такое понятие Зверотура? Я еще до сих пор нахожусь под эмоциями сна (все очень четко и красочно помню), хотя уже вторая половина дня.

…Ни в какие ворота, потому что «автор» словно бы никогда не читал сказку «Аленький цветочек», не опознал Минотавра, и вообще роскошно развитый в мировой литературе сюжет *"Beauty and the Beast"* пролетел мимо его сознания. А этого почти не может быть… Где был?.. Пиво пил?.. Но это, наверно, и есть самое ценное: такая девственная нетронутость культурного сознания девушки привлекла Сценариста, и он с размаху, как оплеуху, напечатлел на этой всполошенной *tabula rasa* свой заветный архетипический сюжет. Оп-ля! Знай наших!

«Вместо ног — копыта…» — тревожится безымянная сновидица, и точно так же тревожились сновидцы средневековья и античности, и в Шумере, в камышовых шалашах, просыпались с колотящимся сердцем и пересохшим ртом, и в Африке, и в Китае; и бог знает где и когда Сценарист впервые послал нашему брату — примату, двуногому без перьев, всеядному, о тридцати двух

зубах, млекопитающему, прямоходящему — этот несгораемый сюжет о необходимости *полюбить* монстра, то ли чтобы нейтрализовать его злодейские замыслы, то ли — поднимай выше — как первый сигнал о пробуждении этого странного, истинно человеческого побуждения — милосердия. То ли просто — встречайте свое Подсознание с букетами и оркестром. И всегда какой-то из спов идущий нспорядок с ногами: хромой бес, козлоногий Пан. От наскальных рисунков до — ну хотя бы — Татьяны Устиновой, автора таких ловких детективов, скрещенных с дамским романом: он — хромой ветеран афганского спецназа на протезе (баба-яга — костяная нога мужского рода), она — дочь олигарха (то есть «честная купеческая дочь»). Буря страсти. Красавица и Чудовище. У всех у нас под кроватью в детстве жили такие же, но мы выросли, стали проще, и подкроватные жители ушли.

Еще он любит такую штуку: ты будто бы в своей квартире или на даче, так хорошо знакомой. И вот в одной стене обнаруживается дверь, вроде бы она всегда там была, но ты по глупости или по рассеянности ее не замечал, а сейчас вот обнаружил. И сердце замирает, и открываешь — а там еще комната, или коридоры, и даже словно бы что-то вспоминается — то ли в детстве ты там играл, то ли просто знал, как туда попасть.

И там чудесно, так чудесно!.. Я знаю как минимум три литературных сюжета, построенных на этом важном, важном до сердцебиения сценарии. Это «Дверь в стене» Уэллса — классика-переклассика; «Посещение музея» Набокова — не мог он тут не отметиться; и средненький рассказ Дж.Б.Пристли «Другое место»... а не важно, что средненький, важно, что написал, уважил Сценариста. Ну и море вторичной литературной продукции, всякой там «научной фантастики», «фэнтези» и всей этой литературной дребедени, кормящейся очистками ночного сознания и запускающей бессовестную морду в чужую корзину с овсом.

А маленькие опасные девочки, которые делают ужасное, питают бесконечного Стивена Кинга; а сюжет с квартирой, сквозь которую проходят чужие люди, потому что так надо, попадался мне у Арво Валтона. Рассказы и романы Уэллса все насквозь пропитаны снами, и недаром его так тянуло к скрытому миру, что он под конец жизни занялся столоверчением, чтобы навещать поместье Сценариста с черного хода.

«Желания»! Ничего-то мы не знаем про свои желания, а если думаем, что знаем, то никакого исполнения во сне не происходит, не то мы бы все ходили довольные-предовольные. Душные городские европейские желания среднего класса тысячу раз исполнялись в европейской литературе, от фольклора до высокой, сложной прозы. Вот, все женщины твои; вот, ты миллионер; вот, тебе все повинуются; вот, ты объездил весь мир; вот, ты объелся и упился всем, чем хотел объесться и упиться. Придумал. Написал. Вроде полегчало. А потом снятся сны в том смысле, что деньги — это пустые бумажки, пластиковые пакеты от Сороса, а женщины проходят мимо и делают странные вещи не для тебя, а ты хочешь бежать — и сдвинуться с места не в силах, а еда — это вата без вкуса, а на поезд ты всегда опаздываешь, а море стоит вертикально, как синяя стена, а волну можно приподнять двумя руками, как одеяло, а счастье — это плыть в неглубокой розовой воде, — то, что наяву звучит невыносимо пошло, как коммерческие услады Барби.

4. Больше напоминает романтическую фантастику.

Не помню, есть ли города, государства, не смогу сказать точно — что за время года.

Розовые внутренности какого-то подземного сооружения. Все пропитано приятным запахом, который источают все предметы вокруг. Розовые стены, пол и потолок. Бесконечный лабиринт коридоров, но они не давят на психику, не угнетают. Наоборот — вокруг царство спокойствия, доброжелательности. Люди рядом со мной улыбчивы.

Понравились мне какая-то теплота отношений и минимум одежды — что-то вроде купальников из розового пуха. Но по желанию можно и без них.

Хотя запомнилась, помимо всеобщей розовости, замкнутость пространства. Может, это все искусственно создано. Но воздух вокруг чист и благоухает. Водоем с теплой розовой жидкостью, через который я и группа моих друзей плывем на матрацах. Больше похоже на череду бассейнов. Вокруг розовое, розовое, розовое...

Розовый цвет европейцы не уважают, он в нашей культуре как-то маркирует инфантильность, незрелость, глупость, детство; большинство же американских женщин предпочитают розовый цвет: незрелая нация, ой, незрелая... Колхозные вкусы: пушистая розовая кофточка. Новорожденным девочкам — розовое одеяльце. Розовое платье с зеленым пояском на мещанке Наташе в чеховских «Трех сестрах». Все это — фу. Но во сне другая культура, не европейская, своя какая-то. Там розовое — это отлично, это чудесно, это обожаемо: это розовое платье юной Марины Цветаевой «с этой безмерностью в мире мер» — Цветаевой, царственно отметавшей невротические наши заботы о «вкусах» и «пристойности», поэтессы, свободной до неприличия, до фамильярности со Сценаристом, нисколько эту бесстыжую связь не скрывавшей, а, наоборот, выставлявшей напоказ: «Сны видящей средь бела дня, // Восхищенной и восхищённой, // Все спящей видели меня, // Никто меня не видел сонной».

Я тоже часто вижу во сне розовое стекло или «сухую розовую воду», я не знаю, что это такое, но это очень хорошая вода: когда моешь ею руки (она для рук), то как-то куда-то проходишь сквозь слои сонного пространства, как-то словно бы больше понимаешь и вот-вот что-то совсем важное поймешь. Такая вода.

Нас, наверное, много, заглянувших в этот вариант закрытого мира, не только я да девушка, плававшая с друзьями на матрацах, но не все же скажут. Да вот, общеизвестное: «Я теперь скупее стал в *желаньях*. // Жизнь моя! Иль ты *приснилась* мне? // Словно я весенней гулкой ранью // Проскакал на *розовом* коне». Для меня нет сомнения, что какие-то вещи из снов тут просочились и легли стихами. Разберись-ка, Зигмунд.

Да, собственно, вся литература связана со снами: и прямой связью, и связью обратной, и цитированием, и попыткой построить текст как сон, и бессознательным использованием сонных образов, и сознательным. Самый «сонный» писатель — Кафка, самый сонный его роман — недописанный «Замок», где герой попадает в самозапутывающуюся ситуацию, не находящую разрешения, — каждый его осторожный и продуманный шаг немедленно и мучительно усложняет мир в энной степени, а почему? Потому что он действует в этом мире по дневной, ясной, разумной логике, а там совсем иные правила. Кажется, если бы он сделал что-то нелепое, иррациональное, можно было бы что-то поправить, но ведь само решение сделать что-то неразумное есть *разумное* решение, а оно-то все и портит.

Мы не управляем Сценаристом, это он управляет нами. Мы, разумные такие, хотим ответов на вопросы. И иногда он снисходит до объяснений:

5. *Я вижу звездное небо (не как с конкретного места Земли, а как такой всеобщий круг), и голос за кадром (или просто мысленный голос) говорит мне, что когда сойдутся вместе четыре конских созвездия, то наступит конец света. Объяснение такое — дескать, «конские созвездия» это такие, в которых есть кони, Кентавр там, например, и т.д. Звезды ведь на небе перемещаются, когда-то возникнет такая ситуация, что они сойдутся.*

Или:

6. Сначала я убегала не помню от кого, с подругами. Потом забежали мы в какой-то типа автобус, и зашел человек, очень странный, в темном одеянии, показал на меня и сказал: хочешь узнать свое будущее, я согласилась, и он сказал: «что было — то было, а что будет — то будет», и ушел, исчез. И я проснулась.

Но лучшее, что разрешено видеть во сне пишущему человеку — а таковыми можно считать почти всех, — это упоительные, самые гениальные на свете тексты. Стихи — куда там Пушкину! Правда, проснувшись, понимаешь, что, может быть, все-таки Пушкин обставил тебя и на этот раз... Так, одной знакомой даме удалось проснуться среди ночи и торопливо записать свой шедевр:

> *Он.*
> *На груди висит вагон.*
> *Оп.*
> *На вагоне медный клоп.*

А другому человеку приснили такое:

> *Летает птичка на рассвете,*
> *Чем дальше в лес — тем больше дров.*
> *Осталась я одна на свете,*
> *Так будь здоров, так будь здоров...*

Там, на родине Зверотура, это, наверно, так же грандиозно, как «эники-беники ели вареники», это у них такой Шекспир. Я тоже как-то занималась столоверчением, вызвала дух одного поэта и спросила его, пишет ли он там стихи. «Пишу». — «На каком языке?» — «На ангельском». Ну, значит, нам не прочесть.

Я вот не пишу стихов, да и не претендую; мне снится проза. Такая!.. Такая!.. О, какая! Это такие потрясающие тексты, в которых каждая буква, а не то чтобы слово, стоит на нужном месте и произносить ее, проговаривать вслух — высшее наслаждение для наконец-то дорвавшегося до своей пищи духа. Все прочее — макулатура! Мне дают — нет, меня подпускают к Большой Белой Книге *in folio*, покрытой черными строчками бесконечного текста. Книга старинная, буквы крупные, может быть рукописные. В каждом слове — Высший Смысл, оказавшийся таким простым для понимания, что от счастья начинаешь смеяться. Смеешься и читаешь, смеешься и читаешь. И тут, как всегда, все начинает портиться, я просыпаюсь — меня изгоняют из рая, сила тупого утра выталкивает меня на поверхность, Высший Смысл закрывается, абракадабрируется и белибердизуется, и горсточка вырванных у сна запомнившихся слов бессмысленна, как клавиатура пишущей машинки: фывапролджэ, кто ж ее, родимую, не знает.

Смирись, бодрствующий; смирись и спящий: тайна сия велика есть, Большую Белую Книгу навынос не выдают, но главное — она есть; вот это главное. Я видела ее сама. А нам — что ж, нам разрешено тут, по эту сторону ограды, стараться кто как умеет, нам дали чистые листы бумаги, и мы, может быть, сами того не подозревая, напишем иной раз такое ячсмитьбюё, что Сценарист в восторге вклеит и нашу страничку в свое избранное, чтобы было что почитать ангелам в гамаках.

Содержание

Литературно-художественное издание

Толстая Татьяна Никитична

ДЕВУШКА В ЦВЕТУ

Заведующая редакцией *Елена Шубина*
Ответственный редактор *Алексей Портнов*
Художественный редактор *Елисей Жбанов*
Технический редактор *Надежда Духанина*
Корректор *Максим Кривов*
Компьютерная верстка *Ольга Шувалова*

 http://facebook.com/shubinabooks

 http://vk.com/shubinabooks

ООО «Издательство АСТ»
129085 г. Москва, Звездный бульвар, д. 21, строение 3, комната 5
Наш электронный адрес: www.ast.ru
E-mail: astpub@aha.ru

«Баспа Аста» деген ООО
129085 г. Мәскеу, жұлдызды гүлзар, д. 21, 3 құрылым, 5 бөлме
Біздің электрондық мекенжайымыз: www.ast.ru
E - mail: astpub@aha.ru

Қазақстан Республикасында дистрибьютор және өнім бойынша
арыз-талаптарды қабылдаушының өкілі «РДЦ-Алматы» ЖШС, Алматы қ., Домбровский
көш., 3«а», литер Б, офис 1.
Тел.: 8(727) 2 51 59 89,90,91,92, факс: 8 (727) 251 58 12 вн. 107;
E-mail: RDC-Almaty@eksmo.kz
Өнімнің жарамдылық мерзімі шектелмеген.

Өндірген мемлекет: Ресей
Сертификация қарастырылмаған

Подписано в печать 28.04.2015. Формат 84x108$^1/_{32}$.
Гарнитура «ALS Mirta». Печать офсетная. Усл. печ. л. 18,48.
Тираж 12 000 экз. Заказ 3207.

Отпечатано с готовых файлов заказчика
в АО «Первая Образцовая типография»,
филиал «УЛЬЯНОВСКИЙ ДОМ ПЕЧАТИ»
432980, г. Ульяновск, ул. Гончарова, 14

ISBN 978-5-17-086711-0

9 785170 867110 >